経営のための

品質管理

心得帳

山岡 修

JN125732

サンライズ出版

はじめに

かつて勤務していた企業で大型品質トラブルを起こしたことがきっかけで「経営のための品質管理」を研究することになり、その成果を伝承するために本書が完成している。

最初に、集大成までの経緯を示しておく。

トラブル当初は、振り返りして技術を構築した。それで大丈夫と思ったが、どうも組織全体、あるいは会社全体に改善が波及することはなかった。何か釈然としなかったものがあった。

トラブルから数年後に全社の品質管理責任者を担うことになったのだが、その立場（職位）からあらゆるトラブルを分析していくと、組織の規模・事業種・階層に関係なくほとんどの問題が似たような原因構造であることがわかった。後でわかったことだが、人間の「性（さが）」が深く関係することなので当然なことである。その２年後に、トップマネジメント層である品質保証執行役を担うことになったのだが、それまで一番わかりにくかったヒエラルキー構造が起こす問題の因果関係が見えてきた。

つまり、ヒエラルキーを成り行きで用いると、誰でも「非科学的」行為を起こし、タテ連携を著しく悪化させるのである。このことが本書の論点なので、ドロドロ感をもって因果関係と対応方法を解説していく。

もう一つは、こういった経営問題を究明する中で、我々が用いてきた「品質管理」に疑問を抱くことになり、源流にさかのぼり品質管理を考案した人たちの活動をひも解いてみた。

その結果、米国において 1920 ～ 1950 年頃に品質運動が起こり、事業経営基盤が確立していたことがわかった。この「品質管理」は、現在多くの人達が理解している品質管理とは大きな違いがあることもわかった。先人は、すでに同様の問題解決に挑戦されていたのだ。

本来、先人が築いた品質管理が、現在の経営基盤を支えるはずで
あったが、我が国はどこかで原点を読み誤ったようだ。今一度原点
回帰が必要だと考え、「先人が築いた品質管理」を第 1 章でお伝え
する。

　その他、品質管理に関わりの強い「失敗論」や「組織運営論」に
ついて、極めて有用だと考えられる専門家の活動や書籍を本書で引
用し紹介してある。

　その結果、ボトム、ミドル、トップが経営する際に必要な要件が
網羅されたのではないかと考えている。

　本書はとくに、日が当たりにくい職場の方、困り果てている経営
者や組織運営責任者、仕事が見えにくい機能の人たち、硬直化した
官僚組織で困っている方などにお勧めしたい。解決のヒントを提供
できるはずである。

謝辞

　本書は、私が村田製作所で 43 年間勤務し、体験させていただい
た成果です。体験の場を作っていただいた村田製作所と集大成過程
でご協力いただいた皆様にお礼を申し上げます。

　そして、産業界の発展のために、本書で開示することの許可をく
ださった村田製作所に感謝申し上げます。

　今後、本書を継続的に改善していきます。関わったすべての方々
に、記してお約束申し上げます。

山岡　修

目　次

はじめに

▍第1章　先人が発想した品質管理

▍第2章　日々起こっていること

▍第3章　誰にでも改善できる方法

第 1 章

先人が発想した品質管理

1

先人が築いた「品質管理」

1．先人の品質管理にさかのぼる

　私が本社品質管理の責任者を担っていた時、地方工場の品質管理
十年選手の課長が問いかけてきた「品質管理は何をするのですか」
と、その時自分の考えを伝えたが、よく考えてみると入社して41
年間品質管理のルーツをひもといたことがなかった。私自身、本当
のところ「品質管理」を知らなかったのである。非常に恥ずかしい
思いをした。

　このことがきっかけで、初めて製造業における「品質管理」に関
して原点にさかのぼり調べてみた。「品質管理」の真意がわかった
のは、ジョセフ．M．ジュランの著書である『品質管理ハンドブッ
ク』（日本科学技術連盟訳・刊　1954年）と伝記書『ジュラン　世
界を舞台に品質を語り続けた男』（ジョン・バットマン著、石谷尚
子訳、トッパン刊　1998年）であった。

　多くの品質管理運動家は、わかりやすい「統計手法」に注力する
が、ジュランは人間が介在することで起こる組織問題を「マネジメ
ント」することが大事だと説いている。これがジュランの終生の戦
いでもあったようだ。

　ジュランの活動が、筆者が本書で目指
すところと合致していることから、本章
はジュランの活動を中心に説明していく。
ジュランが余りにもすごいので、他の品質
運動家については触れていないことを断っ
ておく。

ジョセフ．M．ジュラン

2．品質運動を起こした人々

6人の思想リーダーたち

　工業化が盛んになった1920 〜 1945年頃、米国市場経済下におい
て、合理的な経営方法として品質管理を構築している品質管理の立
役者を紹介しておく。

　米国品質協会（ASQ）が発行する『Quality Progress』の2010
年11月号に掲載された、「〜品質管理に永遠の変化をもたらした〜
6人の思想リーダーたち」という記事では、ジュランもふくめ以下
の6人を紹介していた。

　　フィリップ・B・クロスビー（1926 〜 2001年）
　　W・エドワード・デミング（1900 〜 1993年）
　　アルマンド・V・ファイゲンバウム（1922年〜）
　　石川馨（1915 〜 1989年）
　　ジョセフ・M・ジュラン（1904 〜 2008年）
　　ウォルター・A・シューハート（1891 〜 1967年）

　興味のある方は、ジュラン以外の人物についても調べてもらえれ
ば役に立つかもしれない。

3．1930年代のアメリカで始まったジュランの品質運動

　上記の人物一覧の生没年でわかるとおり、ジュランは103歳とい
う長命だった。80歳代まで現役で品質管理のコンサルタントをし
ていたという。20世紀初頭、現在のルーマニアの小さな村に生ま
れたジュランは、アメリカ合衆国に出稼ぎに出ていた父親が家族を
呼び寄せたことから、アメリカのミネソタ州で教育を受けることに
なる。数学で抜群の才能を発揮し、3学年飛び級してミネソタ大学
に入学、1924年に20歳の若さで電気工学の学士号を取得した。同年、
ウエスタンエレクトリック社の工場に就職した彼の最初の仕事は苦

情部門でのトラブル処理だった。ここでの経験が、「品質管理の第一人者」と称されるジュランを生むことになる。

彼は、科学的管理から人間的側面まで切り込んで、経営に際し「なぜそうするのか？」と本質を追及し、「マネジメント方法」を確立している。現在も起こっている大手企業の経営問題のようなことが、1930年頃のジュランの品質運動においても発端であったようだ。

彼は日本にも多大な影響を与えている。1954年に来日し、日本の経営者に品質管理の重要性を説いた。その内容に経営者はびっくりし、経営の考え方を大きく変えたようである（ある企業はジュランの影響を受けて現在の基盤ができたと聞く）。ジュラン来日までの日本は、統計学が主流で、品質管理イコール統計学の誤認識があったようだ。

それから、先の6人の中にも選ばれており、統計的手法で有名なエドワード・デミングのことにも触れなければならない。デミングは第二次世界大戦中、製造プロセスに統計理論を導入し戦果を得たとして評価された。終戦後の1947年にGHQ（連合国最高司令官総司令部）の指示で日本に統計的品質管理を導入している。1950年には箱根で経営者を対象に品質管理8日間コースの講座を行い一定の成果を挙げている。

その後、デミングの影響を受けた日本は、品質管理イコール統計的手法と解釈したのであろうか、数学が得意な人材を選りすぐり、品質管理に投入したという。そのことが経営に大きな誤解を招いたようである。それに気がついた人々が1970年代に経営のための品質管理へ舵切りすべく取り組んだと聞く。

ジュランの伝記を読んでわかったことであるが、ジュランは「科学的管理法」のフレデリック・W・テイラーと「経営学」のドラッカーとも接触があり、お互いの思想に大きく影響していたようである。3人とも人間のメンタリティーを深く研究しており、物事の本質を極めていたようである。

　私見であるが、この３人が今でも通用する経営の基本を作り上げたと考えている。

① フレデリック・ウィンズロー・テイラー（1846 ～ 1915 年）

　「経営管理」を深め、「科学的管理法」を提唱する。

② ジョセフ．M．ジュラン（1904 ～ 2008 年）

　科学的管理法など幅広い要素を取り入れた「経営マネジメント」を確立した。

③ ピーター・ファーデナンド・ドラッカー（1909 ～ 2005 年）

　「経営戦略」と「目標管理」の考案者である。

　いずれも伝記があるので、読まれることをお勧めする。

▌4．ジュランの本２冊に見られるポイント

　ジョセフ・M・ジュランの品質管理は、事業経営にとって現代においても極めて実用的である。

　次にわかりやすい２冊の本をもとにジュランの思想を紹介する。ただし、知的財産の関係で十分に表現できていないので、読者自ら精読してほしい。

　１冊目は、ジュランの『品質管理ハンドブック』である。書籍を次に示す。

J．M．ジュラン著、今泉益正他訳『品質管理ハンドブック』財団法人日本科学技術連盟、1945 年初版

　ジュランの考え方がわかりやすい「1945 年７月初版の 1.3 項と 1.4 項」を次に示す。1.3 項では、現在当たり前すぎて忘れ去られている点である。市場経済下におけるモノづくりの原点である。人や組織が連携取らなければならないこと、共有化・伝承のために標準化しなければならないことをわかりやすく説明されている。

　1.4 項では、市場経済の変化が科学的管理を必要としていること

を述べている。

特に働く人々の心理的変化（心理的変化、経営上の変化）は事業経営の本質を語っていると思う。今、多くの事業経営者が一番苦労しているところである。

1.3項　組織の規模と複雑性の増大

製品の大量生産は、経済的組織の大きな改造をもたらした。次から次へと専門分化が行われ、設計から消費者に至るまでの連鎖の数は著しく増加した。そのため、コミュニケーションの困難さは従来よりもはるかに大きくなった。分化の変遷を示す。

［段階1］　製品は同一人物によって生産され消費された

［段階2］　製品はある人によって生産され他の人が消費した

［段階3］　商人が生産者と消費者の間に入った

［段階4］　大量生産は社内組織の分化を余儀なくした

近代的な工場はそれ自体が非常に複雑な組織となった。大きい組織の中では、其々別々の組織グループに属している。そのためこれらの人々のコミュニケーションですら複雑になってしまった。この複雑のため、近代工業では仕様書、手順書、標準など文書によるコミュニケーションの方法が発達するようになった。

（以下省略）

1.4項　品質管理の新しい方法の必要性

社会構造の深刻な変化とそれに関連して起こる変化は、最近品質管理についても科学的な方法を採用しなければならなくなった。その変化とは次のようなものである。

① たくさんの人を雇用する

② 機械と動力により大量な製品とサービスの実現

③ 物理的化学的特性の管理方法の発達

④ 互換性工業生産の概念

⑤ 量産によって、初めて精度を達成しうる能力を基盤とする
　まったく新しい工業の発達

⑥ 民間会社の発達と会社間の物資流通の結果、設計、工程技
　術者、検査人、使用者などなどの間の距離が拡大されつつある。
　生産者と消費者間の密接な関係を基盤とした過去の、いわゆる職
人根性の幼稚な概念は、このような社会構造の変化に直面して品質
を確保しようとすれば、是が非でも多数の手段の助けを借りなけれ
ばならなくなった。これらの変化が深刻、かつ基本的なものであれ
ばこそ、この新しい条件の下で品質を達成するために手段の変化も
また、同様に深刻かつ基本的なものでなければならない。其の必要
な変化というのは、次のように幾多の分野にわたるものである。

1．心理的変化

a．各々の人が自分の会社の製品が自分自身の幸福のために重
　要である事を理解しなければならない。"品質が売り上げを
　作り出す．売り上げが仕事を作る"のである。

b．めいめいの人が品質を良くするために、自分が個人的にい
　かに貢献できるかということを知っていなければならない。

c．各自が自分のやらなければならない仕事を自分から進んで
　やるような刺激が与えられていることが重要である。

2．経営上の変化

　経営者は管理の規模と複雑さが個々人の仕事にいかに影響す
るか、まためいめいの努力を妨害するためでなく、むしろこれ
を助長していくために管理と経営をいかに運用すべきかを理解
するのが重要である。

3．技術的変化

　物理的・化学的な生産方式並びに製品や工程の測定と管理の
ための設備の発展を続けていくことが必要である。

4．統計的変化

　品質を管理する手段として、科学的なデータを集め分析しこ

れを利用することが必要である。

5．その他

　複雑な問題を解決していくために、研究、広告、その他の工夫を凝らしていく必要がある。

　以上述べたことは、其々多くの分野で広く応用されている重要な知識の一部に過ぎない。しかも品質管理はその中のほんの一部である。

（以下省略）

本項は、わかりやすく品質管理の原点が示されている。

つづいては、ジュランの伝記である。

『ジュラン　世界を舞台に品質を語り続けた男（JURAN A Lifetime of Influence）』：ジョン・バットマン著、石谷尚子訳、凸版印刷、1998 年

　すでに絶版で、アマゾンのサイトでは古本に 1 万円程度の売り値がついている。

　著者のバットマンは「序－パンテオン」で次のように書いている。

　ジュランは、我々が品質と呼んでいるとらえどころのない現象に、非常に正確で適切な定義を与えてくれた。そして、行動のステップの普遍的手段を二つ定めた。一つは「現状打破」のため、もう一つは「管理」のための手順である。

　さらにジュランは、組織全体が支援態勢を整えていることと、経営幹部の積極的な取り組み姿勢が、品質の達成には欠かせないということを、声を大にして、飽くことなく主張し続けた。

　ジュランの考え方と手法、教えは、品質を追い求める人々に、彼に対する敬意のみならず尊敬の念まで抱かせ、ビジネスをどのように経営すればよいか、製品やサービスをどのように生み

出せばよいかという問題、そして、さらに言えば、我々の暮らしの質にまで、きわめて大きな影響を与えてきた。

　ジュランのセミナーに出席し、彼と同じテーブルで昼食をとった人が、「神様と同席したような気分でした」と回想しているほどである。

5．ジュランの歩みと教え

次に、私が本文から読み取れた範囲で「ジュランの歩み」を示す。

1）製造現場体験を通じ現場で起こっている問題の本質をつかみ改善した。

　①現場で科学的にとことん追求し、改善した。

　②深く幅広い知識を持って、挑戦しては新たな発想をした。品質運動をしてきた研究者からも学び、さらに一段高度な発想をしている。

　③活動の対象は現場から始まり、管理職、役員、他の業種、社会へと発展していった。

2）自らの体験から経営者を指導する「つぼ」を見出した。

　④統計的手法は品質管理の一部の手法であり、もっと大事なことがあると考えた。

　⑤組織は、非科学的な要素で動いていることをいち早く見出し改善のヒントをつかんだ。

　　例えば、「古いしきたり」「上位階層者の低い能力」「マネジメントは専門職だが訓練されていない」などの障害を持っていること。

　⑥相手の立場で伝え方を変えた（技術者、非技術者、重役で伝えることが異なる）。

　　特に、経営トップ層には経済面を伝えると品質管理の理解が深まるとしている。

3）一貫して「考え方」を教えた（手段ではなく）。

⑦「現状打破」と「管理」など

　ジュランは、極めて科学的なモノづくり法を示すとともに、組織
運営で一番厄介な人間のメンタリティー面を追及して組織マネジメ
ント法を構築している。つまり、現在行われている狭義の「品質管
理」ではなく、広義の「経営のための品質管理」を築いているので
ある。ジュランが提唱するマネジメントをちゃんとやれば、経営に
「改竄」は起こり得ず、組織は「持続可能な成長」が可能だという
ことである。
　もう一度「ジュランの教え」を整理すると、
• 科学的管理でなければならない。
• 組織のタテとヨコおよび他機能との関係が有機的につながって
　いなければならない。
• 管理者と労働者の関係は「緊密かつ親密な人間味ある協力関係」
　であって、決して硬直した非人間的な、権威主義による構造で
　はない。
• 品質マネジメントのための普遍的手順は「現状打破」「管理」
　である（1964年に示した）。
• 一貫して、経営の考え方を説いた。

　以上、箇条書きでまとめてみたが、本来は自ら先人の著書を読ん
で、発想者の「原点」・「神髄（奥義）」を知り、自分のモノにすべ
きだということが整理していてよくわかった。
　少なくとも経営や品質管理・品質保証に携わる人は、早い時期に
「品質管理（＝経営の方法）の原点」に立ち返ってみることをおす
すめする。近年の品質管理や品質保証はあまりにもツール化（マニュ
アル化）されており、その神髄（こころ）が示されていないので理
解が深まらないように思えるからである。恐らくこの辺に先人の発
想を継承することの難しさがあるのだろう。

ドイツと日本の生産性の違い

　ドイツ人と日本人の生産性について TV 放映していた。出所は、TV 番組 BS11 イレブン 2018.2.8 報道ライブ INsideOUT「仕事の生産性はドイツ人に学べ」。データは経済協力開発機構 OECD2016 が用いられている。

　ドイツの生産性は日本の 1.5 倍、ドイツの労働時間は日本より 350 時間短いというものである。

	日本	ドイツ	
GDP	5兆ドル	3.5兆ドル	ドイツのGDPは、日本の0.7倍
労働者一人当たり1時間当たりの生産性	46ドル	68ドル	ドイツの生産性は、日本の1.5倍
一人当たりの年間労働時間	1,713時間	1,363時間	ドイツ人の労働時間は、日本人より350時間短い

図4　ドイツ人と日本人の生産性

出所：OECD2016（BS11 イレブン 2018.2.8 報道ライブ INsideOUT「仕事の生産性はドイツ人に学べ」）

　この説明の後でドイツ人と日本人の労働観について次のような解説があった。

自立しているドイツ人
　　自分の人生を生きる。そのために働く。家族のため、自分の人生を優先するために、仕事を早く終える。そのために役割を決める（職務分掌や職責を明確に）、ルール（標準化）を決める。仕事が明確だから忖度や迎合する必要がない。

サービス旺盛な日本人
　　サービスの受け手には好評だが、顧客、おもてなし、サービスが負担でもある。

日本に住んでいると気がつきにくいが、この放映を観ながら現場の問題やマネジメント問題がすぐに浮かび上がってきた。

　日本人の多くは、頑張って遅くまで残業して仕事をやり終える。次の日も、また頼まれて頑張って馬車馬のように仕事をする。その場は、やった感を抱くが、どうもおかしい。こんな事を繰り返しているうちに心身共に疲弊を感じるようになる。年度末に振り返りすると、当初のテーマがほとんど手つかずになっている。でも気を取り戻して、新年度に挑むが期末には同じことに陥る。こんなことが多くの企業を指導している中で明確化した。私のような部外者は利害関係がないので、ほとんどの企業で同じような本音が聞こえてくる。

　この主たる要因は、日本国の労働観、企業の労働観にあると思われる。民主主義の国日本は、「経営の品質管理」を正さねばならないと考える。

　今一度、組織を構成する皆で深く考えてみませんか。

第2章

日々起こっていること

1
失敗とは何か

1.「失敗」とは何か？

　皆さんは、「失敗」をどのように受け止めているだろうか。

　私が全社の品質保証責任者を担っていた時、日々の経営活動により起こる「失敗」という事象が極めてネガティブに扱われ、そのことで多くの後戻りが起こっているのを見てきた。大多数の「失敗」は、ことわざのように「成功の母」にはならなかったのである。

　本書のメインテーマ「経営のための品質管理」は、「失敗」が原点なので、「失敗」を深く研究してきた。まだ研究途上であるが、これから述べる知見は応用が利く点で経営に有用だと考える。なお、「失敗」の代表格である「クレーム」については次節で解説していくのであわせて理解を深めてほしい。

　私は「失敗」を研究する中で、改めて「失敗学」の提唱者である畑村洋太郎東京大学名誉教授の著書を精読したところ、製造分野だけでなく経営においても参考になる記述があることがわかった。本章では、「失敗学」からヒントを得た経営観点での「失敗」の意義についても示していく。

2. 新しい取り組みには失敗がともなう

　最も多くの「失敗」が起こるのは、当然ながら新しい取り組みにおいてである。

　新しくやることは、科学的に進めたつもりでも、なかなかパーフェクトにはなり得ない。それは、前提条件の読み違いだとか、力量がたりなかったりするからである。未経験領域においては、必ず「実験的要素」を含んでいる。もし目論見がはずれたら修正する。何度も何度も修正を繰り返していくと完成度が高まっていく。

　これは、当然のことなのだが、組織の中にどっぷり浸かっていると、最初から「失敗」はあってはならないものと見なされ、担当者は責任を負う羽目になる。

　本来であれば、組織全体、経営（仕事の仕方）の問題に広げて修正を行う方向に進まなければ、恒久的な解決にはなり得ない。

　経営観点で「失敗」を理解するのに有効と考えられる点を畑村陽太郎著『失敗学のすすめ』（講談社文庫、2005年）から引いてみよう。

　　人間が何か新しいことをしようと行動すれば、その結果は間違いなく失敗に終わる。しかし、その失敗は悪いことではなく、その経験の中で自分が見たこと、感じたこと、考えたことは必ず次の役に立つ。

　経営における「失敗」は、学習して力をつけるための「先行投資」だという考え方である。これは、「失敗学」の根本理念ともいえるものだ。

　歴史をさかのぼれば、人間社会の進歩は失敗からの蘇生によるものだったことがわかる。ところが、仕事の現場で失敗に直面すると、往々にして個人の責任論に着地させて終結する場合が多い。その場はおかしいと感じた者も、「場の雰囲気」に流されてしまう。そこには、当事者は不必要に責任を感じ、周りの者は火の粉を被らないことを是とする心理が働くのであろう。いずれも、誠実さと弱さが露呈した人間的な反応なのだが、これが抜本的な改善策から人を遠ざけてしまう。

　人や組織が事を起こす際には、成功を前提で思考し、それにともなうロスを勘定することが極めて少ない。しかし、何かをやれば必ず、何がしかのロスが生じる。それは未熟さと想定外の要因が必ず影響するからである。また、直後ではなく時間がたってから生じる問題も多いので、対応は後手に回らざるをえない。

▌3.「含み損」を意識したマネジメント

　何事も完璧にできない分がロスとして現れることは自然の摂理であり、これを「失敗学」では"含み損"という。もし、益が見込まれるならば"含み益"となる。そのため、畑村教授では、企業の業績を示すバランスシートで、「含み損」と「含み益」を管理することを推奨している（畑村前掲書）。

　この考え方を事業経営に適用すると、極めて合理性が増すことがわかった。例えば、製品を開発し量産化する場合だが、予期しない誤差因子（ばらつき）により品質トラブルが生じるものである。トラブルが社内で収まれば責任を問われることは少ないが、出荷して顧客からの求償問題に発展すれば、必ず責任論が話題となる。

　その発生元として、営業、開発、生産技術、量産部門、品質管理、それぞれの部署が対象になる。機能でみると多くは技術系が吊し上げられ、顛末書を書く羽目になる。

　ここで考えてほしいのは、本当のチョンボ（ごまかし、意図的行為）を除き、ほとんどが未熟さや想定外要因などの予見しにくいことが原因で起こっているということである。

　つまり、開発や製造ライン構築において完成度100％ということはあり得ず、いくばくかの未完成分が必ず残る。これらの誤差因子（バラつきを招く因子）が働けば、不具合として顕在化する。その生じる頻度こそ組織や企業の力量を示しており、少ないほど競争力が高まる。

　経営余力の少ない成熟した経済社会下では、「含み損」のマネジメントは重要性を一層増している。ところが、「含み損」を意識してマネジメントしているケースは極めて少ない。その結果、経営に歪みが生じ、効率が著しく低下する。

▌4．トップは「失敗」を経営に取り込むべき

　私の経験では、企業のトップは往々にして「失敗」から遠ざけら

れる。

① 担当者の責任として処理してしまう

　本来、トラブルは個人の責任に帰着するほど単純ではなく、すべてが組織や企業の力量が不足するために起きるものだと考えるべきである。リスクマネジメントの一環としてリスクアセスメントをし、誤差因子を取り除く方法を検討し、これに投資して解決しなければならない。

　この改善のための投資こそが企業の戦略なので、トップマネジメントしなければならない。軽く扱い、担当者に片手間にやらせてはいけない。

　このような思考に立てば、「問題を隠す」行為や、そのことで起こる「一時的な投資抑制行為」が経営に大きなダメージを与えることは、容易に理解できるはずである。

② すべき部分に投資ができていない

　「失敗」の発生は、人材・設備面で本来投資すべきところに投資できていなかったことによることも多い。経営者は、「含み損」に対する投資効果の経済性を検討すべきである。

③ ロスをネガティブなものとして扱ってしまう

　一般的に企業では、ロスをすべてネガティブにとらえる風潮があるが、多くのロスは「含み損」が顕在化したもので、対処すべき部分を明らかにしてくれるものとして歓迎すべきである。

　妥当性のある投資が行われれば、担当者が動きやすくなり、改善効果が著しく高まる。

　以上のことから、トップこそ「失敗」を身近なものと考え、経営に取り込む必要があることがわかるだろう。どのようなケースであれ、次のいずれを選択するかは企業（事業）戦略である。

　a．「含み損」はリスクが大きいからゼロにして進む

　b．「含み損」のリスクよりも機会損失が大きいとして、「含み損」

を認めて進む

　もし、後者を選択し、不幸にも大型品質事故を起こしたとしても、事後の振り返りからきちっと投資して「技術（広義）・風土・人材」を仕上げれば、その後は資産化されたことになり、長い目で見て事業経営が損なわれることはない。組織や企業の力量には限りがあるので、投資には事前も事後もありうる。いずれの投資であれ「技術（広義）・風土・人材」という資産化ができなければ、経営とはいえないということである。

　「含み損」のマネジメントは経営戦略であるので、経営トップ層が決断しなければならない。職責の低い社員に委ねてよいものではなく、経営トップ層の主たる仕事だということを全組織員が共通認識しておかねばならない。

　そうすれば、失敗隠しなども減っていくはずである。

2
クレームとは何か

▌1．なぜ「クレーム」をネガティブに扱われるのか？

　経営に際して受ける「顧客クレーム」は、「心地よくない」、「聞きたくない」、「クレームにお金をかけたくない」、「惨めでつらい」などとネガティブに扱われており、悪い意味の「ごみ」扱いされるケースが後を絶たない。

　特に組織の上位層にいる人にとっては強いネガティブ情報であるため、現場の下位層にいる人にとっては頼れるのは我が身しかない個人商店型格闘技の場となる。しかし、トップマネジメント層が避けて通る裏通りにこそ、経営にとって一番重要な情報がある。

　私は、かつて品質トラブルに対応し、さらに全社の品質保証責任者に携わらせていただいたことで、「クレーム」の意義と重要性を理解することができた。クレーム時にトップ、ミドル、ボトム層の人たちが普段取る思考や行動にもそれぞれ理由がある。私は、この総括を「クレーム理論」と名づけ、事業経営にとり極めて有用だとして提唱している。前章の「失敗とは何か」とあわせて理解を深めてほしい。

　まず、私の経験則に基づいて、クレームがネガティブに扱われる理由をあげてみよう。

① そもそも人間は、何かを成し遂げるとき、どのような局面（確率）であろうが成功を前提に思考する。事を起こした結果、予測に反する答えが出るととてもつらくなる。
② 上層部にいる人がクレームをネガティブに扱うのは、クレーム体験が少なくて対応法がわからないからである。本来、経営視点に立てば正しく振る舞えるのだが、そのマネジメント能力

が低いと担当者感覚となり、近視眼的に「クレーム」＝「悪い
ことをした」＝「責任がともなう」というふうに、自らを大き
なストレスの場へ追い込んでいく。そして、早く消したいとい
う思いが働いて、正しく受けつけられなくなる。最後は、経験
的に「クレームは部下が対応する」ことに慣れているので、無
責任にも下位層に頼ってしまう。

③　現場の下位層にいる人は、上司のネガティブ思考を受けて、
逃げることなく戦う。上司の支援がなく自分がやらねばならな
い環境下に立てば、時には「クレームを消し去る」ことが目的
化されることもある。これも当たり前のことである。

　このような思考となるのは、事業経営に関わるすべての層（ボト
ム、ミドル、トップ）がビジネスの本質を理解していないことも影
響していると、私は考えている。

▌2．クレームは経営上価値のある情報

　企業の力量には限りがあるので、何事も100％の完成度はなく、
必ず「含み損」を抱えてスタートする。「含み損」は「社内トラブル」
や「顧客クレーム」といった形で顕在化する。「含み損」を減らすには、
投資して解決するしかない。どのように投資して解決するかが戦略
である。
　「クレーム情報」は、作り手が経済性を考慮しながら不良ゼロを
目指してがんばった結果の一つである。作り手は、機能を満たすよ
うに（不良を出さないように）高額投資をして作りこんでいるのだ
が、不幸にも漏れた結果が「クレーム」として扱われる。
　言い換えると、「クレーム」は市場実証100％の結果であり、本
来作り手が一番欲していた「作り手（自分たちの）の弱点情報」の
一つである。なぜならば、これだけ低率の不具合を作り手（自社）
で顕在化させるとしたら膨大な費用がかかるからである。

　また、クレーム原因が組織運営上にあれば、社内では顕在化しにくいことからも貴重であることがわかる。クレームは、経営上価値ある情報の一つである。

　それからもう一点重要なことがある。本来ビジネスは、「お金の回収」と「品質トラブルによるクレーム対応」がパッケージで成り立っていることである。この基本を忘れてはならない。

▎3．クレーム対応時の手引き

　今後の行動指針は以下のようでなければならないと考える。

1）「クレームは、経営において最重要情報の一つである」

［解説］クレームは、経営活動（マーケッティングから開発、量産、出荷、顧客使用）の成果であり、かつ改善の方向性を示してくれる重要情報である。本来、経営者はお金を出してでもほしい情報である。

　　　成熟した経済社会の下では、重要な経営指標の一つに位置づけると経営が効率よく回る。

2）「企業の進化は、クレームからの是正法に左右される」

［解説］当社の技術進化には、クレームが大きく寄与してきた。時にはブレイクスルーも起こる。内部を変えるには、外圧が必要だということである。だからクレームを利用する方が合理的である。人間の性（さが）に一番合ったやり方である。

3）「ビジネスには、トラブルがつきもの」

［解説］事を起こせば必ずトラブルが生じる。「ビジネス＝①販売（製品を売り、金を回収）＋②顧客クレーム」である。つまり、①、②はパッケージである。「トップセールス」があれば、「トップクレーム処理」もある。重要案件は、トップが出陣する方が早く解決する。結果的に合理的であり、時として信用を得る。

4）「有事の際は、顧客のことのみを考える」

［解説］人間は有事の際に、とにかく自分本位に陥り、責任回避を
しようとするものである。

　雑念が真っ当な人間を狂わせる。そのことが経営を狂わせ、
機会損失を生む。ゆえに、自社問題は包み隠すのではなく、
三現主義（実際に現場で現物を観察して、現実を認識した上
で、問題の解決を図る考え方）に基づいて企業として逸早く
対応する方が、すべてうまく解決する。長い目で見ると、一
時的にお金がかかったとしても、かけたお金以上の価値とし
て人材が得られるからである。

5）「常に職責の高い人がリーダーシップをとる」

［解説］クレーム対応における一番の問題は、クレームをテーマ化
し予算化していないので人・モノ・金の投資ができないこと
にある。そのことで現場が動けず、さらに品質ロスを大きく
させる。結果的に顧客の不満を買うことになる。

　その対応として、特に大きなクレームの場合は、事業経営
責任者が顧客の責任者に一報入れれば、問題の50％は解決
する。

　それは、顧客の責任者にコミットメントすることで、確か
に資源（人・モノ・金）が投資され、対応部隊が能動的に活
動するからである。トップダウンなので、人材が育ち技術が
構築できる。高額な求償に対しても、十分投資回収がかなう。
上位職者は全体最適化のために存在するのだ。

6）「問題の程度を見える化し、正直に知恵で解決する」

［解説］事実ベースで事を進めれば、雑念が働く余地はなくなる。
　これほど精神的に楽なことはない。源流化が顧客と当社の双

方のロスを最小限にとどめる。事実ベースで正直に事を進めることが最終的にロスを一番少なくし、技術や人材の質を高める。三現主義の真髄がここにある。

7)「振り返り是正が唯一進化をもたらす」
[解説] 失敗は「含み損」の表れであり、事前投資が不十分なまま「市場検証」した結果に過ぎない。いかなる事業投資も検証結果を資産化しなければならない。そのための振り返りであり、是正である。継続的改善の真髄がここにある。

8)「その信頼関係がすべてだ」
[解説] クレーム対応の結末は、顧客との信頼関係および組織内の信頼関係で決まる。いかなるクレームも顧客に隠すことなく正直に対応した方が、顧客価値を高められる。クレームを恐れるのではなく、関係を構築する特別な場面だと前向きにとらえるのが正しい。このようにして、常に持続可能な成長を目指すべきである。

9)「未然防止が原則だが、事後投資で挽回することもできる」
[解説] モノの完成度が低くても上市（市場投入）することがある。これも企業戦略として必要な場面である。もし、そのような場合でも事後投資で完成度を高めなければならない。経営の「いかなる含み損」にもちゃんとした解決の仕方がある。困難なテーマは、戦略的に管理しなければならない。完璧でない組織が事を起こすときの必要条件である。

10)「多くの経営幹部層のクレーム観は、未体験によるものだ！
　　だから体感せねばならない！」
[解説] クレームを深く理解するには、身をもって体験するしかない。

体験とは直接的な作業だけを指すのではない。顧客と対面して三現主義で事実をしっかり理解すること、正直な対応をすることである。そのとき初めて真理が、そしてモノづくりの本質が見えてくる。

5. クレーム対応における誤解

　以下は、日頃当たり前のように行われている、クレーム対応時の「禁じ手行為」である。いずれも大きな経営問題であるが、トップマネジメント層は気がついていない。

　トップマネジメント層は、この闇に日を当ててほしい。トップマネジメント層でなければ解決できない問題だが、トップマネジメント層であれば簡単に解決できる。

　あえて解説は必要ないと考え、項目のみ示す。
　① クレームの解決が目的化され、表面を繕う仕事の仕方
　②「再発」をあたかも初めてのトラブルとして処理すること
　③ 上司の出番を遅らせる行為
　④ 公にならないように処理する行為
　⑤ お客様が怒る理由がわからないまま対応を間違う

　以上、クレーム対応には、全社をあげての意識変革が必要であることを理解していただけただろうか、

3
上位職者にこそ必要な現場視点

▍1.「現場」を軽んじる風土

　あらゆるヒエラルキー構造において、タテ連携がとれているケースはまれであり、多くは風通しの悪い職場文化に陥っている。

　そのような組織の経営者と管理職層は、日頃「現場視点」とか「現場が大事」といいながら、一番関心が低くなりやすいのが「現場」である。「現場」は見えにくいので関心が薄れていくからである。ところが、経営者の関心が高い「売上高と利益」を仕上げているのが「現場」であり、また経営を圧迫させる品質ロス（損失）が顕在化するのも「現場」である。

　本節では、経営者と管理職層に本当に理解してほしい「現場視点」について解説する。この「現場視点」をもって組織のタテ（ボトム - ミドル - トップ）連携を図れば、経営効率が極めて高まり、経営の目標達成が容易になるはずである。

▍2.　組織の「現場」で起こっていること

　実際に作業が行われている場所が「現場」である。「現場」では、サービス業もモノづくり業も上流のたくさんのプロセスを経て仕上げの作業が行われている。

　たくさんのプロセスが基準に基づき行われていれば、顧客に提供するサービスやモノが商品として完成する。

　ところが、複雑なプロセスが介在するかぎり、どこかの工程で基準を満たさない不具合が生じるものである。それは、単なるミスかもしれない、基準の問題かもしれない、本社スタッフの問題かもしれない、あるいはマネジメントの問題かもしれない。いずれにせよ、前工程を含む全プロセスの問題は、最後の「現場」に現れ、「現場」

31

にしわ寄せを与えている。

　しわ寄せを受けた「現場」の人は、Q.C.D（品質、コスト、納期）対応にとても苦しむことになる。時にはデータの改竄を強いられることもある。

　こういった問題の原因は、第3章1節（改第4章1節）で解説するように3点ある。

・組織のタテ連携がよくないと、階層間で情報の共有化がなされにくい

・トップ層には複雑な「現場」が見えにくく、問題を正しく認識できないので、権限を有していても行使できない

・「現場」のボトム層には改善の権限（指令命令、人モノ金投資）が限られているので、改善がしにくい

▌3.「現場視点」の着眼点

　これらの改善には、権限を有するトップ層の意識改革と行動が必要である。

　次に、トップ層が理解できるように、上記問題の意味を経営観点で整理する。

① 組織員が完璧さを求めて活動した結果が「現場」に現れる。トラブルやクレームはその一つである。また、「現場」へのしわ寄せもその一つである。すべて、自組織の弱点部が顕在化したにすぎない。本来、企業活動で押さえ込みたい問題の代表格である。

② 自組織がこの種の不具合を事前に押さえ込むとしたら、高額投資が必要になる。問題がまれなケースだと、事業の投資経済性が合わないであろう。

③「現場視点」を持つと、自職場の弱点を普段の事業活動の中でつかむことができる。言い換えると、高価な情報を安価に得ることができる。

④「現場視点」から得た広義の課題（狭義の問題と課題）を継続
　的に改善すると、組織の自浄がなされ組織は強靭（きょうじん）になる（これ
　が継続的改善である）。

⑤「現場視点」を持つ風土が、「現場」の不必要な負担を軽減し
　生産性を高めるとともに、組織の課題解決力が高まる。つまり、
　人材が育成される。

⑥経営者が「現場視点」を持つことで、組織員が気持ちよく仕事
　ができるので、信頼関係が高まり連携が増していく。そうなる
　と、「現場」の人による「捏造（ねつぞう）」や「改竄（かいざん）」の必要性がなくなる。

　経営者や管理職の役割は、現場に直接入り込むことではなく、トップ層も「現場」の意味を理解し、現場情報を経営に反映させる行動をとることである。

▌4．成熟した経済社会下での「現場力」とは

　かつての高度経済下においては、モノづくりの完成度が低かったこともあり、現場に改善のネタが多く存在していた。それで、現場情報が工程の川上の改善に寄与してきた。多くの改善はモノが中心で科学的に行われてきた。これは、モノが理論構築しやすかったことと成果をお金に換算しやすかったからである。

　このようにPDCAを早く回すことで、人間の感情面が引き起こす「表面化せずに潜在している経営ロス」をカバーし、全体で大きな経済効果をもたらしてきた。

　「表面化しにくいロス」とは、「人間の性（さが）」が引き起こす非科学的行為（人間関係に根差した問題）のことであり、組織運営においては非常に大きなロスであるが、一般にこの種のロスは金勘定をしないので品質ロスとして認識することは容易でない。現在の成熟経済下においては、高度経済下のような贅肉はなく、モノの改善要素が少なくなった。さらなる改善は、「人間の感情面が引き起こす品質

ロス」を撲滅することである。

5.「現場」の人たちの想い

　「現場」の人たちは、日々モノやサービスの完成（顧客への提供）
に全力を尽くしている。上司の指示がなくとも、また人・モノ・金
の投資権限がなくとも顧客のために成し遂げようとする。時には、
周りの協力者が離れてしまい孤立すると、目的のために非科学的な
策を選択する。「今起きていない、これからも起きないだろう」と
高をくくる。そして権限を越えた「改竄」をしてしまう。「改竄」
行為の当初は、責任ある上司が直接手を下すことは少ない。上司は
決断しないからである。最後は男気に富む下位層のリーダー格が手
を下してしまう。

　こういった不幸なことを撲滅するために「現場視点」を共有化す
ること、恒久的には第4章1節（改第5章1節）「組織を束ねる目
標管理」を導入し揺るぎのない経営基盤を構築してほしい。

4
保全の源流管理

1.「花の建設　涙の保全」

　「花の建設　涙の保全」という言葉を聞いたことがあるだろうか。私が知ったのは、2012（平成24）年12月2日に中央自動車道笹子トンネルの天井版落下事故が起こった時だった。一般的にも、この事件が契機で知られるようになった言葉のようである。

　もっと以前から建設業界では、有名な言葉だったようである。新しい建設物をつくるために、国や地方自治体は十分な予算を取り華々しく推進する。皆の関心も高まり、花形である。しかし、作られた建設物を維持するには保全のための投資も必要なのだが、予算は最低限まで削られ、担当した業者は苦労するという意味である。

　これは、建設業界だけではなく、あらゆる製造業にあてはまる言葉であるらしい。私がコンサルタントの場で口にすると、「保全」や「品質管理」担当の聴講者から賛同の声が上がる。また、「保全」機能は、「インフラを維持するために、またビジネスを行うために止めることができない重要な仕事である」と解説したところ、元気を取り戻してくれた。「保全」もまた「見えにくい仕事」なので携わる人たちは苦労しているのである。

　さらに皮肉なことに、「見えにくい仕事の重要性」は、ヒエラルキー構造の下位層にこそわかり、権限のある上位職者にはわかりにくい。ものすごい矛盾が起こっているのである。

　いかなる組織においても「数字に現れる成果が見えにくい仕事」には皆の関心が集まらない。人の目が集まらないどころか、同時にカネとモノも離れていく。そのような職場で、活気を保つことは至難の業である。

　「成果が見えにくい仕事」の代表格は、「保全」「品質管理」「人事」

であろう。「保全」は、装置を構成する部材が摩耗する以上、モノづくりに欠くことのできない機能である。「品質管理」も「人事」も、問題が起こらないこと＝最高の成果なので、トップ層はその重要性を普段は意識しない。

　ここでは、企業で一般に「見えにくい仕事」の評価が低いことを問題視し、その要因を解説していく。そして、「見えにくい仕事」をどのようにマネジメントすべきかを示していく。

▌2．とんでもない経営事例

　ずいぶん前であるが、とんでもない経営事例に出くわしたことがある。具体的に書いてしまうと問題があるので、少し抽象化して要点が理解できる程度の記述に留める。

　成熟期商品を担当していた工場があった。成熟期商品ということもあり、日々製造コストを抑えるために細かい予算管理をしていた。その甲斐(かい)あって黒字を達成していたため、事業部トップ層や経営トップ層は比較的良い印象を得ていた。

　ところがある時、顧客で大きな品質トラブルが生じたのである。工場では、自らの死活問題ととらえ不眠不休で対応に当たった。

　原因を調査した結果、製造機器の老朽(ろうきゅう)化で加工にバラツキが生じたためと判明した。つまり、「保全」に甘さがあったのである。

　さらに「なぜなぜ分析」をしてわかったのは、工場損益を黒字化するために保全管理費用を抑制していたことである。「これまで問題がなかったから」という工場幹部の言葉は、「保全の重要性」の見えにくさを物語っている。

　顧客対応を終えてから、工場幹部層がトップマネジメント層に事実関係のすべてを報告する場を設けた。トップマネジメント層は、問題の本質を理解すると同時に是正措置の議論に入り、即座に是正に必要な費用を確認し投資を指示された。報告を開始してからほぼ１時間で、工場幹部層の苦しみは一気に解消したのである。

　振り返ると、これまでトップ層と工場幹部層が本音で語り合えていなかったということである。つまり、トップ層の想いは「科学的管理に努めて黒字化せよ」ということだが、日頃共有化していないと、工場幹部層には「黒字化」だけがひとり歩きして突き進んでしまう。それまでにも語り合う場はあったのだが、問題が顕在化していないと本当の困りごとを隠し、牽制(けんせい)しあいながらで終わってしまう。これも本項で問題にする本質の一つである。

　その後、工場では必死になって工程全般を再構築した。一番の変化は、働く人々のマインドが著しく変わったことである。製造ラインの「保全」と製品の「品質管理」の重要性が認識された。

3.「軽く思われがちな仕事」

　前項で述べた大型品質トラブルを体験した後、私は「軽く思われがちな仕事」について「なぜなぜ分析」をくり返していった。その結果を紹介する。

　まず、「軽く思われがちな仕事」には以下のような傾向がある。

- 上位職者の関心が薄い(周りの人たちにはそれとなくわかる)
- 「できそうな人」に兼務が増える
- ある職務で成果を出せていない人があてられる
- 製品を実現するプロセスを支援する仕事

私の経験からすると、具体的には以下の仕事(職務)が対象になると考える。

　「品質管理(品質保証)」「検査」「試験」「信頼性技術」「保全」「ESD(静電気放電)管理」「監査」「健康管理」「教育(人材育成)」「コンプライアンス」「コーポレートガバナンス」「資材」

　以上の「軽く思われがちな仕事」に共通する特徴がわかる。

① 今は何ごとも起こっていない。しかし、費用はかかる。
② 将来に備える仕事なので、やっている仕事とその成果が見えにくい。うまく仕上げるほど成果が見え難くなる。

［解説］未然に防止すればするほど、問題が起こりにくくなる。問題が起こらなければ、費用削減の指示をする（手抜き）。時間が経過すると、また問題が起こる。そしてまた強化する。これを7年から10年間隔でくり返すので、本当の問題がわかりにくい。人間の脳は、記憶が薄れていくようにできているからである。

③　成果が見えにくいのに反して、一度トラブルが発生すれば、処理にかかる費用は莫大となる。起こさないための「保全」を維持する経費の方が安い。

［解説］端から見ていると、行動が良く見える時はお金を食う時である。予算外の金を使うので、印象は良くない。

▍4.「保全」と「品質管理」が企業の利益を生む

　新製品だと誰もが華々しい気持ちで挑む。さらに市場開拓期、導入期、成長期などは華やかである。それは先述のとおり、「報酬」を感じる「花の建設」だからである。新製品といえども時間が経過し、プロダクト - ライフサイクル（PLC）中盤以降は華々しさが薄れ、「報酬」を感じにくくなる。

導入期：市場開拓し開発した製品を量産開始する。多額のお金を先行投資する段階である。

成長期：量的に拡大し、儲ける段階である。たくさんのことを経験しながらモノづくりの完成度を高める。

成熟期：モノづくりの完成度が高まり、品質ロスや固定費を削減する段階である。市場成長率が低くともシェアが高いと多くの収益を生む。PPM（プロダクト・ポートフォリオ・マネジメント）で「金のなる木」という。

衰退期：成長率が低下していく段階である。この段階は「涙の保全」領域なので力が入りにくいのだが、ちゃんとやり切れば会社の信用が高まる重要な領域である。だから、衰退期も保全と

　　品質管理機能を緩めることはできない。

　このプロダクト・ライフ・サイクルの特徴は、

① それぞれの時期でマネジメントが異なる

② PLC が進むにしたがい、モノづくりの完成度を高めると品質ロスや固定費が削減でき、利益が生まれる。操業度益とは別の要素である

③ 中盤以降の利益を別のテーマに投下し事業を拡大する

　以上の３点であり、サイクルを一巡して経営が成り立つのである。つまり、「保全」「品質管理」部門こそが企業の利益と事業拡大を生み出しているのである。

　先に紹介したある工場の経営事例のように、後半期（「成熟期」や「衰退期」）で手抜きをするのは自滅行為であることがわかるであろう。

▌5．成熟した企業経営における「保全」と「品質管理」

　本来、「保全」とは「将来を予測し備える」機能である。「保全」ができてこそ、PLC を一巡できる。

　イギリスでは「医療費の財政問題（破綻）」が契機で、45歳以上の４人に１人の割合で存在する認知症予備軍を「未然防止」して、認知症患者の減少に成功しているという（「NHK スペシャル 800万人時代『認知症を食い止める』〜世界最前線〜」2014 年４月放送による）。科学的な管理法（「品質管理」）が成熟期社会を救済する手段として用いられているのである。

　成熟した企業経営においても、目前の新商品に目を奪われるのはやめて、長い時間軸の物差しを用いて「将来を予測して備える」行為に切り替えていかねばならない。

　「見えにくい仕事」に該当する部門も、創業当初の時点ではそれぞれの重要性が認識されていたはずである。ところが、時間経過とともに、部門内でもその認識が曖昧になっていく。やがて、今は何

も起こっていないので、「どうでもよい仕事」と考えるトップ層まで出てくる。

　本書の冒頭で解説したように、「品質管理」とは本来「経営のための」ものである。ところが、日本では多くの企業で、「品質管理」が脇に追いやられてしまっている。その復権のためには、企業内のヒエラルキー構造（タテの連携不足）にもメスを入れる必要がある。これについては第4章で述べる。

ピーターの法則

第1章で紹介した「品質管理」の先人、J. M. ジュランの興味深いエピソードを紹介しよう。

ジュランは、勤め先の管理職の人事を調べたところ、昇進した者の能力が他の者に比べて高いわけではないことに気づいた。管理職も専門職の一種であるはずなのに、特別の訓練もなされないまま、しかも能力とも関係なくどんどん昇進していく例が数多くあったのである。ジュランは、上司による非科学的なマネジメントに苦しめられた（ジョン・バットマン著『ジュラン』）。

その頃からジュラン自身は管理職に向いていないと自ら判断し、管理職から離れていく。

その後、ジュランとは別にアメリカの教育学者、ローレンス・J・ピーターが、1969 年に『ピーターの法則』（日本でも同年に翻訳され、2003 年に再訳。渡辺伸也訳、ダイヤモンド社）という書物を著し、同じ問題を分析してみせた。ピーター博士が学校やその他の組織で行った実験によると、「ピラミッド型の階層社会では、従業員は自分の能力を超えたところまで出世しがちだ」というのである。

ピーターの法則

階層社会では、すべての人は昇格を重ね、おのおのの無能レベルに到達する。

ピーターの必然

やがて、あらゆるポストは、職責を果たせない無能な人間によって占められる。

仕事は、まだ無能レベルに達していない人間によって行われている。

技術職として優秀だった人物が昇進して管理職になった場合、同

じように優秀だとは限らないというわけである。

　かなり皮肉めいた言い回しだが、ピーター博士は次のように言っている。

　　　無能が存在するのは、人間の原罪のせいでも、社会を攪乱しようという悪しき意図のせいでもない。そして私たちの社会にある一つの性質こそが、無能を生じさせ、無能を後押ししている真犯人である。

　発表から半世紀を経ようとしている現代日本の社会でも、十分に適用できる法則ではないだろうか。

　もちろん対処法もある。昇進ではなく、昇給によって彼・彼女の能力に応えるか、そのポストで働くのに十分な訓練ないし教育を受けた者だけを昇進させるようにするかである。

第3章
誰にでも改善できる方法

1
どのように「標準化」するのか

▌1. 働く人々の役目

　人間社会で生きる限りにおいて、先輩は仕事のやり方を後輩にわかるように示し残しておかねばならない（「標準化」である）。示しておかねば、共に働く後輩たちが困り仕事に苦しむことになる。そして人間関係が悪化することになる。

　「標準化」は企業人・社会人としての倫理観に根差した行為でもある。そして、長い時間をかけて改善した標準化行為が強い企業や強い国の風土を作り上げるのである。

▌2. 標準化のための基準書とは？

1）標準化の原点

　標準化の必要性は、品質管理の創始者ジョセフ・M・ジュランが自著『品質管理ハンドブック』1.3項に示しているので、次にポイントを示しておく＊。

　＊：大量生産以前は「製品は同一人物によって生産され消費された」。近代的な大量生産は「社内組織の分化を余儀なくした」。大量生産で複雑な組織になり、コミュニケーションが複雑化した。つまり、一人が全てを行う場合は体の中で連携が取れているので問題はない。一方、仕事が複数の組織、多数の人々に細分化されるとコミュニケーションがうまく取れずに問題が生じる。近代工業では、「仕様書」、「手順書」、「標準」など文書によるコミュニケーションの方法が発達した。

2）伝承のための標準化とは

　例えば、いかなる仕事も次のようなプロセスを踏んでいる。

　　① Aさんが仕事を始める

　　② Aさんが体験して基準を作る

　③　ＡさんがＢさんに伝承する

　④　Ｂさんは訓練して改善し、新たな基準を作る

　⑤　ＢさんはＣさんへ伝承する…。世代を超えて改善が進む

　基準を作らなければ、永遠に改善は進まない。担当者が一つひとつ改善することで、同業他社に勝てるようになる。会社の力とはそういうものである。

　そもそも、人間は自分の意志で合理的だと思うやり方を作り上げる。働く「場」があれば、自ら改善するのである。改善のための答えはなく、答えは皆さんの感性で作るしかない。最初は貧弱かもしれないが、それでよいのである。

　１人の場合でも頭の中では描いている。それを暗黙知という。

　もし、協力者がいて、伝えなければならなくなると不都合が生じるので、公用語で残す。これを形式知化するという。標準書とは、この形式知化したものである。

３）品質事故を体験して得た基準書

　かつて品質事故を体験した。大変な事件であったので、関係者とともに徹底的に振り返り分析をした。問題の本質に辿りつくと、①マネジメント面、②技術面、③システム面、④風土面の弱さが露呈した。

　技術面に目を向けると、製品機能を保証する設計のよりどころが不明確なこともあり（業界として）、モノづくりは公的規格を基準に行われていた。つまり、作り手は緩い基準で安価なモノづくりを指向したのである。「製品機能を保証するツボともいえる押えどころ」がルール化されていなかったことが問題であったと振り返った。

　私は、この品質事故を経験したことが契機で、次のような振り返りをした。「当社の経営理念が"科学的管理"であるので、"技術基準"が存在すれば、何人も基準を歪曲させて目先の利益を優先する行為はとらないはずである。それだけ"技術基準"は経営の重要な価値基準となる。このことは、経営理念がなせる技である」。

それで、今回の品質事故は、技術基準が明確でなかったことが要因の一つであると結論づけした。

　トラブルの振り返りから、関わる技術メンバーは、3年後に設計基準を作ることになった。作成に際し、「設計基準」の要件を次の4点に明確化した。

① やらなければならないこと（裏づけデータがつく）

② やってはいけないこと（裏づけデータがつく）

③ やるかどうかわからないケースに対する判断（例：何と何を確認してから次へ進むなど）

④ わからない判断（例：わからないが、今の段階ではこのように決めた）

　もう一つ大事なことがある。それは設計をした技術者のプライドと倫理観である。

　自ら設計した証（足跡）を残し、安定的に量産して商品化を実現させることである。そのように考えると、「設計基準を作らない風土」そのものが問題である。

4）「設計基準書」が作りにくい理由の一つ

　「設計基準」ができない理由の一つとして、私は、誰もが短期間に完成度を高めようとするからではないかと思うようになった。先の3）項の4つの視点から記載すればよいので、当初の「設計基準書」は穴だらけかもしれない。どこにもスーパーマンはいないので、それが自然だと思う。むしろすべて穴埋めされているFMEA（設計基準書の名称）などは、押さえ所が曖昧になる点で有効性が低く、活用されなくなる。「秘伝」でなければ紐解く者もいないはずである。不完全な点は、後輩や次の世代に委ねればよいである。

　つまり、2）項のように「先輩はやったことを後輩にしっかり伝承し、後輩は不足を補い完成度を高めて次の後輩に委ねていく」。こういった時間軸での継続的改善をすればよい。実は、この地味な活動が組織の風土をつくり強靭な企業（官庁、学校、財団）をつく

るのである。

５）新しいものに群がる「人間の特質」がある

　人間、とかく新しいものごとに群がるが、熱が冷めたら離れていくものである。建物・道路・橋など新しく作るとなれば人が群がり、熱が冷めると勢い離れていく。このことがゼネコン業界では「花の建設　涙の保全」という形で定説になっている。

　お金で潤う新しいことには皆が群がるが、地味な保全はお金も出なければ人の関心も集まらない。これは人間の性なのかもしれない。企業活動もまた、同じ有様だと並みの企業にとどまることになる。

　多くの社会問題がそうだ。「トンネルの崩落事故」や「鉄道の保全事故」などは、皆「花の建設　涙の保全」の結果である。「花の建設」に容易に流されると、「原点」を維持・管理するという見識が勢い低下するのである。

　したがって、「設計基準」を単なるルールにとどめるのではなく、絶対的な尺度に仕上げる工夫が必要である。それができて、当社の「極意」になる。「涙の保全」もできて初めて技術者はプロと呼ばれる。

3.「標準化」で経営基盤を強化する

１）あらゆる職場に適用できる「標準化」

　２−３）項に示す４点の要件は、あらゆる職場に適用できる。

　ａ．製品、機器、プロセス

　ｂ．作業の標準（標準作業）

　ｃ．スタッフ業務（コーポレートスタッフ含む）の標準

　ｄ．経営トップの経営判断・決断

　ｅ．…………

　しかも誰でも短時間で作ることができる。そして、受け手は気持ちよく仕事ができ、発想が高まると改善が起こる。そういった簡単にできる企業風土をつくると経営は楽になる。

２）トップマネジメントを「標準化」する

それから、かつて（高度経済成長期）の標準化の観念は、下位層（ボトム層）の仕事の仕方を効率化させる手段であった。一方、現在の成熟した経済社会という未曽有の世界においては、マネジメント面の仕事の質が問われている。

　畑村陽太郎著『失敗学のすすめ』（講談社文庫、2006 年）で示されている「失敗には階層性がある（p.62 16 行〜 p.63 6 行）*」に注目する必要がある。

　　＊：図のピラミッドで、中間から上に向かって存在する失敗原因には、組織運営不良、企業経営不良、行政・政治の怠慢、社会システム不適合、未知への遭遇などがあります。ピラミッドの底辺は個人の責任に帰すべきものですが、上へいけばいくほど失敗原因は社会性を帯びてきます。また同時に失敗の規模、与える影響も大きくなります。

　トップのマネジメント方法を可能なかぎり「標準化」するべきである。特にうまくいかなかった案件は振り返りのうえ資産化し、伝承する。

　日々多忙なトップ層は、自らのヒューマンエラーを「標準化」で削減すべきである。

2
簡単な人材育成法

　私の企業生活43年間の勤めから得られた「人材育成法」について五点紹介していく。

1．人材育成の基本

　最初に「人材育成の基本」を二つ示す。

　一つ目は、人材育成の基本として、我々は「社員は、皆成人しているのでかなりのことができる」といった価値基準を持つべきである。そして、彼らの人格を尊重し、彼らに「働ける場」を与えることに重きを置けばほとんどうまくいく。上司が答えを急ぎ、不必要に手をかけるとうまくいかないようである。むしろ、彼らが得た「働く場」で適当なリスクあるテーマに挑戦をさせるほうが長い目で本人も企業も成長する。

　二つ目は、多彩な人々で社会や組織を構成していることである。本当に考えつかないほどたくさんの因子が関わってくるので、育成の時期や水準を画一的に定めることはできない。つまり、当方が意図して「人材育成」することは容易ではない。

　人材育成を意図する人は、この辺の事情を理解しておく必要がある。

2．入社して「組織員」になる意義を知る

　43年前のこと。私が入社して間もないころ、先輩の係長にこんなことを問われた。「君はなぜ企業に入社したのか」と。正直、深く考えていなかったので生活の糧であると答えた。先輩は、次のようなことを教えてくれた。「君はお金がないだろう。企業に入れば、数千万円でも1億円でも使うことができて、個人の想いを実現する

ことができるのだ。もちろん、強い想いと企画・行動力があればだが」
と。そして、このことが企業勤めの最大のメリットだという。確か
にその通りだ。企業の一員になれば、万一失敗しても個人の財を失
うことはないし、ものすごい恩恵を受けることもできる。この時初
めて、企業人の唯一の「特権だ！」と、宝物を得た気持ちになった
ものである。

　同時に「組織員」になったことの意義がわかった。

　こういうことを先輩がOJT(on-the-job-training: 職場内訓練）で後
輩に伝承してあげるのが良いと思う。

┃3．入社一年目にふさわしいテーマ

　入社一年目の社員にはいち早く、OJTの下で正解のないテーマ
を担当させることである。そこで思考し、体験させることで、学生
時代の習慣から抜けださなくてはならない。そして、正解はないが、
正解らしきものは自らの感性で作りだせることがわかればよい。

　次は入社間もないころの事例である。上司からあるテーマと目標
を与えられた。そして、上司はテーマを推進するための要件だけを
告げられた。それは、①理屈は大阪紀伊國屋に行けば本がある、②
部品は日本橋に行けば手に入る、③部材は□□部門の誰それさんに
頼めば分けてもらえる、④機器は△△部門の誰それさんに頼めば貸
してもらえるといった四つである。当時はよくわからなかったが、
数年後の振り返りで社会での生き方（先人が敷いた道があるので、
そこで挑戦して体験すればよい）が少し理解できたように思う。

　この体験を通じて、OJTでは最低限の生きる術を伝えればよい
ことがわかった。後年には、「失敗を避ける方法論」を指導しては
いけないこともわかった。失敗は、組織の大事な先行投資だからだ。
だから、人材育成は10年先を見据えてやればよい。決して１～２
年で答えを出してはいけない。

　もう一つ大事な要素がある。若くして失敗しても企業が被る被害

は知れている。一方で、歳をとり高い職責で失敗すると被害が大きくなる。職責が高いと社会問題に発展しやすい。だから若くして失敗させねばならないのである。

┃４．職場の人事ローテーションの考え方

　職場で有能とみられる人、つまり力を発揮している人を優先的に他部門へ異動させるのがセオリーだとわかった。なぜかというと、その職場では必ず No.2 が台頭してくるので、組織力の低下は起こらないからである。また、No.1 の異動者は新たな場で成長のチャンスが得られるので、異動先も活性化する。

　一見有能と見られる人を抱え込むと、①管理職が楽になり職場が発展しなくなる、② No.1 が塩漬けになり人材を潰す、③ No.1 がいることで、No.2 以下が成長できない、などの問題が出てくる。仕事は組織単位で行われるので、No.1 を他部署へ出しても組織が潰れることはない。むしろ管理職が職責を果たすことで、仕事はうまく運ぶはずである。

　部下の抱え込みは、全体のマネジメントを停滞させ、時が経過すると、①部下の塩漬け、②他の部下が育たない、③仕事が形骸化、④上司の力量がますます低下する（企画ができない、レポートが書けない、何もできない）、などの問題が生じる。苦労しないから起こる現象である。成長するためには、苦労できる場を自ら作ることである。

　非常に重要なことなので、もう少し説明を加えておく。上記のNo.1 の人は、今の限定的評価指標にたまたま合っているだけかもしれない。No.1 に見える人が未来永劫 No.1 とはいえない、ということである。環境が変わり指標が変われば、No.2 以下の人が適正になる場合が往々にしてある。部下を抱え込めば、変化の激しい世界でも変われずに画一的な価値観を抱いて経営することになる。

　もっと一人ひとりの特質を見極め、その強みを活動の場で最大限

に活かせるマネジメントが望まれる。

▌5．管理職登用基準の考え方

　部下がある職位で素晴らしい成果を出すと、上位職者はすぐに「有能だ」「何でもできそうだ」と高い評価をしてしまう。そして、職位を上げてみると意外と活躍できないことに気がつく。この原因の一つに「近視眼的に管理職登用を目的として評価している」ことがある。要は、上位職者の評価能力が低いことにある。

　この対策として、対象者を上位職者の手から離して大きなプロジェクトを担わせ、PDCA（企画 - 実施 - チェック - アクション）1〜2サイクル経験することである。企画力・行動力・是正力・やり切る力が高まり、また上長の手助けのない環境で挑戦することによって人の本当の適性が見えてくるはずである。PDCA の結果を見て評価すれば、人の適性を客観的に評価できる。

3
誤った思考をマネジメントする

1．ヒエラルキー構造が陥りやすい問題

　ヒエラルキー構造の上位職者は、現場から遠くなるため現場問題の本質をつかみにくくなるが職責を果たそうとする気持ちが強いと、時として権限が権力に変わることがある。一方で現場の下位層は、常に問題に出くわすが権限が限定的なためにうまく手が打てず苦労している。時には自分の職責を超えてイレギュラーな行為（例えば、改竄）をすることがある。

　いずれの職位においても、「仕事を成し遂げようとする誠実さ」と「人間の弱いメンタリティー」が働いて起こる問題だと考えられる。

　30年前の経営書では、「メンタル面は難しく、素人では力が及ばないので、その点には触れず、仕事の仕組みを工夫することで対応すべき」と推奨されていた。このやり方は今もなお継承されており、我々もまた、メンタリティーのマネジメントに重きを置いてこなかった。

　現在の成熟した経済社会では、人中心の経営を指向するので、メンタル面への配慮なくして経営は難しいと見る。そろそろ解決すべき案件だと考える。

2．このテーマに手をかけた切っ掛け

　2014年頃、源流管理を指導していた時に、「現場の声」としてよく耳にしたことがある。それは、「最近、トップマネジメント層の視点が変わり、やりやすくなっている様に感じるが、一番肝心な点にメスが入っていないので、実質変わっていない」という。

　それは例えば、「上位職による職権の乱用や不履行」といったことで、結果的に「下位層の活動に大きな支障が起こり、経営の効率

性が損なわれている」ことを意味する。

このような意見は、日頃トップマネジメント層には伝わりにくいが、私のような利害関係がなく中立なコンサルタントには語ってくる。普段、上位職者は「経営理念の共有化」や「顧客満足向上」、「従業員満足向上」、「連携」などと言っていながら、箍（たが）がはずれると、この逆をやっていることが多い。

この問題は、「トップマネジメントの意思が、組織にうまく反映されていない」ことに他ならないと思い、優先的に改善しなければならない案件だと考えたのが切っ掛けである。

3. メンタリティー問題を避ける人間社会

現場の下位層と職場の問題について議論する中でわかった本質的問題の多くは、上位職に関するものばかりであった。多少は理解していたつもりだが、これほどであることに驚いている。それは、以下のような事例である。

「いかなる問題であれ、下位層・上位層問わず直接苦言を呈するのは大変なことである。特に対象が上位職の場合であるとか、双方が上位職にある場合は、直接的に言うのはものすごいストレスなので、苦言を呈することを避けてしまう。周りの人には "僕が話すよ"と言うが、いざ対面すると 10％も言えず、手が打てないケースがほとんどである。そのことで、周囲は泣きを見たまま何十年と過ごし、当事者も変われずに時を過ごしてしまう。企業では、この状態が何年も続くことで、根深い風土問題が作り上げられていく。そのことが日々の仕事の中で品質ロスが高額化するが、直接的には費用が発生しないので、多くの組織は手を打たずに出来事を容認している（現場の下位層は泣き寝入りである）」

このように人のメンタルに関わる問題は見えにくいので、品質ロスとして算出することはなく、経営において野放しされているのが実態である。

　ところが、一時的にうつ病を患って成果を出せない人には、理由づけが簡単なこともあり、容易に切るのである。うつは万人が患いやすい病にも拘らず手を下してしまうのだ。弱い人間が侵しやすい大きな誤りの一つである。

▌4．メンタリティーへの対応方法

　このテーマは、商品設計やコストダウンのように直接的にお金を生むテーマに比べて見劣りするかもしれないが、実はそうではない。人の労働意欲に多いに関わるからである。そして、長い時間軸でみるとビジネスの成否に大きな影響をもたらす要因だからである。

　私は、改善策として次の4点を薦める。

1）ヒエラルキー構造を目的のために用いる：

　多くの組織はヒエラルキー構造を意図せずに用いていることがわかった。第4章1節「トップの悲劇と解消法」で示すように、ヒエラルキー構造の理解が必要である。

　・ヒエラルキー構造の特徴およびネガティブ面を理解すること。

　・ヒエラルキー構造を運用するためのルール（経営理念、職責＝判断と決断、権限移譲、方針管理などである）を守ること。

2）トップマネジメントの場面で語る：

　トップ層は、普段の短い挨拶の場面（朝礼など）においても常にビジネスの話をしがちであるが、聞いている人は意外と少ない。彼らの一番の関心は、常習的に行われている「セクハラ」や「パワハラ」など、倫理観に根差した問題である。

　トップ層は、あまりにも当たり前すぎてマネジメントすることを恥ずかしがってはだめだ。現実に職場で起こり皆が困っており、普段何も言わない下位層が敏感に感じていることなのだ。

　自社内事件（噂でも）や社会の事件の際には、下位メンバーに倫理観として考え方を伝えることだ。

3）タイムリーに指導し是正すること：

問題のある当事者とは正面から議論を深める必要がある。せめて「当社はこれを認めない」と明言すべきである。証拠が足りなければ、「火のないところに煙は立たない。このようなことを耳にしたが、私は容認しない」、「事実ならば、自ら謝罪し、改善せよ」とはっきり伝え、経過を監視すべきである。これもトップマネジメントにおける優先テーマの一つである。上位職になればなるほど、この種のテーマはウェイトを増していく。なぜならば、下位層が見ており、これによって企業風土が決まることが一つ、もう一つはこの種を押さえられる権限はトップ層にしかないからである。

４）企業経営のための重要な要素として投資すること：

　この種は、いかなる企業も企業歴からすると一番多く体験をしているはずだが、多くの企業は不思議とこの種のノウハウがなく、専門家の育成もできていない。

　現実を見据えて、企業が「一定の投資をして当たり前のことを当たり前にやる」風土を作り上げることである。ここで一番重要なことは、慣れない人に任せるのではなく、そういったことがわかる人材を見つけて担当させることである。

　こういった問題は、企業が成長する上での最低限のモラルとしてトップマネジメントせねばならない。職位の違いはあるにせよ、ボトムもミドルもトップも同じ人間が同じ目的のために働いているのである。このように考えると、入社時や役職登用時などの早い節目にプロとして訓練すべきである。案外、当たり前すぎて恥ずかしいと思っていたり、ビジネスと関係ないと誤解したりしている人が多いようだ。

▌5．持続可能な成長に向けて

　20世紀中盤から人の心と脳についての研究が進み、今では因果関係がかなり明確化されたといわれている。社会や企業における問題の多くが、人間の誤ったメンタリティー要因が支配的で起こるこ

と、その損失（広義の品質ロス）が甚大かつ高額化していることを考えると、管理が難しいと端から避けるのではなく、企業が持ち得る力の5％でも10％でも人のメンタリティー面に投資して、企業経営の効率性を0.1%でも改善すべきである。この種の考えは、誰もが望んでいることなので、環境が整えば自ずと組織に普及するものである。

　私は、このことが成熟した経済社会において「持続可能な成長」のための必要条件だと考える。警鐘を鳴らす意味でここに掲載し、実現を後輩に託していく。

人を取っかえ引っかえする企業の行く末

　トップのマネジメントがおかしくなると、指令命令系統が麻痺するので、働く人々（従業員）は大いに混乱する。そこでは、働く人々のメンタリティー（心理面）が崩れやすくなる。そして、働く人々の信頼関係が崩れて行き、辞める人が出てくる。

　こういった企業がとる次の手は、中途採用である。中途なので一定の力を有した人が多い。そして一定の役割を果たすので、トップ層にとり人材不足問題は解消した状態である。

　しかし、まともな人たちは以前のようにトップ層と衝突し辞めていく。辞められない人はイエスマン化していく。この様相を繰り返すごとに、企業体質はイエスマン比率が高まり、脆弱化していく。この負のスパイラルが、5年、10年とすぐに経ち、取り返しがきかなくなる。

　人をモノのように「取っ換え引っ換え」する行為が問題である。誰でもすぐに人がいないと理由づけするが、実は隣にいるではないか。人の長所を引き出せていないだけである。多様な人で社会を構成する以上、多様な人に働く場を提供して育成するとうまくいく。まして、今は成熟経済社会である。多様な能力を必要とするビジネスモデルなのである。

第4章

タテとヨコをつなぐために

1
トップ層の悲劇と解消法

▌1．多くの組織で日常的に起こっていること

　掲題タイトルは、聞こえの悪い表現と受け止められそうだが、そうではない。トップ層は、「最大30％の真実」とされる限定情報で「決断」しなければならないことがある。これが「トップの悲劇」である。もちろんボトム層の人たちにも悲劇がある。

　加えて、ヒエラルキー構造においては、必ず独特な「場の雰囲気」があり、大事な場面で「白を黒にしたり、黒を白にしたり」する行為が見られる。これらいずれも、上司と部下の関係において起こりやすい過ちである。

　これらは幼稚に見えるかもしれないが、実際に多くの組織（官民学）で日常的に起こっていることである。そのことで、多くの組織が多大な品質ロスを生み経営を難しくしている。このようになる理由は、昔から理解せずに用いてきた「ヒエラルキー」にあることがわかった。

　本章では、ヒエラルキー構造を正しく使うための必要条件を紹介する。

▌2．ヒエラルキーとは？

　広辞苑によると「職務と人員がピラミッド型の上下関係に整序された組織。狭義ではカトリック協会の教階制を、広義では中世ヨーロッパの封建制度の身分構成を指すが、今日では一般に、軍隊組織や官僚制などにもいう」とされている。

　太平洋戦争において、日本軍は厳しい統制手段としてヒエラルキーを用い、現場情報を活用しなかったという。米国は現場情報を活かす手段としてもヒエラルキーを用いていたという。日本は、負

けるべくして負けたといわれている（参考『「超」入門 失敗の本質』鈴木博毅著）。

　戦後の日本は、米国から経営論や品質管理が入り、民主主義の下でヒエラルキーを用いてきた。

　私自身の経験においても、初めてヒエラルキー組織員になった時は、「上が偉い」と思ったものである。それは、先輩の社歴や年齢からくる能力の高さに敬意を払う意味であった。こうした先輩を敬う姿勢に問題はない。むしろ、よい組織風土を作るものである。

　問題となるのは、上下の権力関係によって、下位の組織員の発言や行動に制限が加えられるようになった場合である。

　民主主義といえども社会から隔離され、閉塞した組織の内部で、必要以上の権力が行使されるようになると、歯止めを効かせるのは極めて困難である。加えて、多様な人々で長年運営していくと中には権力を好むタイプの人間も存在する。そのような人がトップに立つと、非科学的な決定が下されることも起こりうる。

▌2. "悲劇" とは？

　組織運営における問題の主な原因は、ヒエラルキーを組織の目的を果たす手段として用いていないことにあると考える。その結果として「トップの悲劇」「ボトムの悲劇」を引き起こし、経営を難しくしている。

「トップの悲劇」とは？

　ヒエラルキーを意図して用いていない場合、階層位置が高まるにつれ、次の傾向が強まっていく。

　1）ヒエラルキーの統制力が強く働き、時として権限が強く働く

　2）上位職は、現場から引き離されていき、情報が途絶えて行く。
　　トップ層に至っては、一般に現場情報の最大30% しか入らないことが多い

　3）上位層は、ボトム層の「判断」をもって「決断」せざるを得

ない

4）それらに加えて、トップ層の多くは泥臭い現場経験の少ない
人が多いため、問題の本質が理解しにくい

　これらの傾向は、長い年月をかけてネガティブなヒエラルキーが
醸成される中で強くなる。メンバーの信頼関係が途絶えると、ます
ます強いものとなる。さらに「場の空気」ができると、真実はます
ますトップ層に上がってこなくなる。
　ここで言う「場の空気」とは何か、先にあげた『「超」入門　失
敗の本質』（鈴木博毅著）をもとに定義すると、会話や議論の中で、
本来AとBの選択肢が混在しているはずなのに、Aという選択肢し
か、その場に存在しなくなるような状態のことである。この状態に
陥れば、さまざまな可能性がメンバーの思考から除外されてしまう。
　こうした「場の空気」は、古今東西の人間社会において存在した。
当然、日本の高度経済成長期の会社組織においても存在したが、次
の理由で経営に大きな支障はなかったと考えられる。

① テーマに何らかの答えがあったので、大きく見誤ることは少
なかった。
② 収益に、品質ロスを回収するだけのゆとりがあった。
③ 全体のプロセスを体験する中で、メンバーすべてが達成感を
得た。

「ボトム層の悲劇」とは？

　ボトム層にも同様の悲劇がある。ボトム層の努力がうまく経営に
反映できないことである。その理由は、「トップ層の悲劇」を下位
層（ボトム・ミドル）に認識されていないために起こる「誤解」で
ある。つまり、ボトム層には、現場問題について「上司なので、1
回言えば伝わる」という想いが強く働き、説得するかのようにしつ
こく確認することがなくなる。

また時には、ヒエラルキーの典型的現象である「上司に対しての忖度_{そんたく}、迎合、諦め」が無意識に起こる。

「働く人々の悲劇」とは？

タテとヨコの連携が悪いことで、多くの「やり直し」という経営ロスが生じる。そのために労働時間が長くなり、生活は会社主体になる。そして、家庭や自治会はとてつもなく疎かになる。これでは、働く人々と社会にとり決してよいことではない。

3．陥りやすいヒエラルキー

先の好ましくない事例を含め、陥りやすいヒエラルキーを図2（p.64 〜 65）にまとめて示す。ヒエラルキーを組織の目的を果たす手段として用いていないと、つまり、成り行きで用いるとこのようになる。

多くの組織を指導する中で私が知ったことは、非常に多くの組織が目的を果たす手段としてヒエラルキーを用いていないということである。

4．ありたいヒエラルキー

組織運営に必要なことは「組織の目的」を果たすために「連携」をとり「人材を生かす」ことである。そのことが可能な条件の下でヒエラルキーを用いるべきだと考えた。

ありたいヒエラルキーを図3（p.68 〜 69）に示す。この構造が形成されるためには次の4つの前提条件が必要となる。

1）組織の目的と目標を定める

　組織は、目的があって作られるので、その目的である「経営理念」を定め参画者で共有化する。そして、目標の達成に向けて活動する。それが統制である。

2）全員参加である

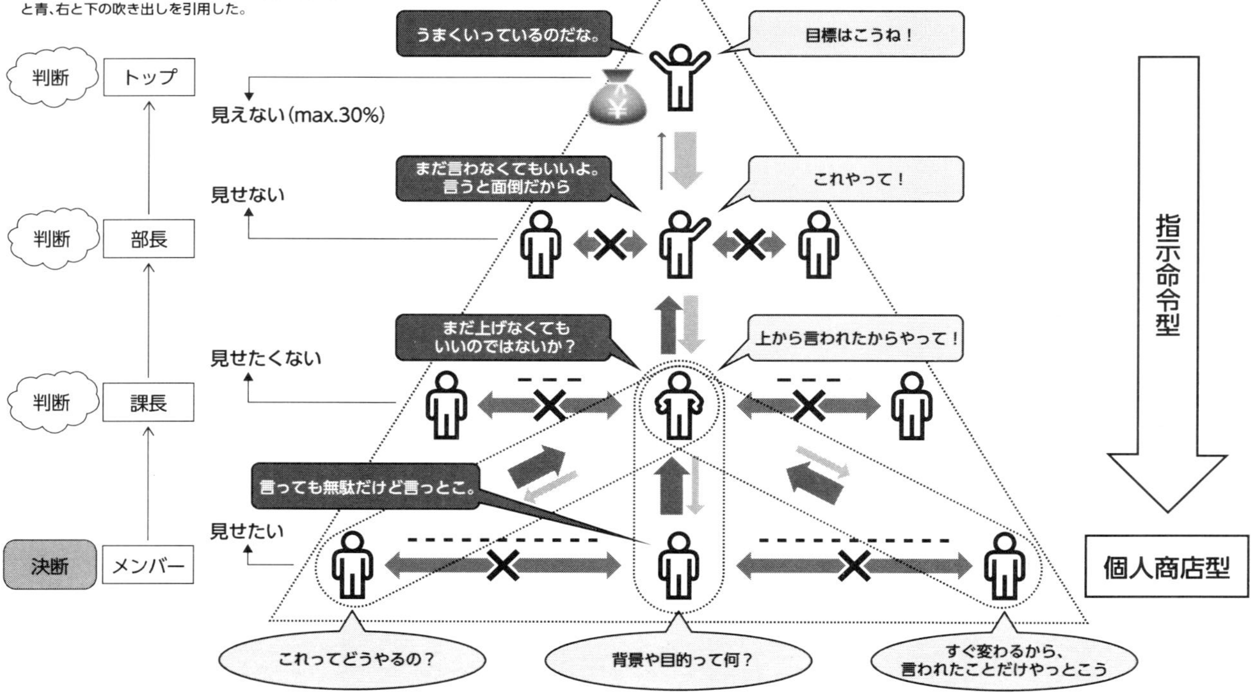

図2 陥りやすいヒエラルキーの構造

※三角の絵は、伊丹敬之＋日本能率協会コンサルティング編著
『場のマネジメント』の図表2-1から三角形:人,矢印のブルー
と青,右と下の吹き出しを引用した。

指示命令型

個人商店型

目標はこうね！

これやって！

上から言われたからやって！

すぐ変わるから、言われたことだけやっとこう

背景や目的って何？

うまくいっているのだな。

まだ言わなくてもいいよ。言うと面倒だから

まだ上げなくてもいいのではないか？

言っても無駄だけど言っとこ。

これってどうやるの？

見えない(max.30%)

見せない

見せたくない

見せたい

トップ

部長

課長

メンバー

判断

判断

判断

決断

64

[トップの悲劇]：ヒエラルキーを意図して用いていない場合、階層位置が高まるにつれ、次の傾向が強まっていく。

1) ヒエラルキーの統制力が強く働き、時として権限が強く働く

2) 上位職は、現場から引き離されていて、情報が遮絶していく。トップ層に至っては、一般に現場情報の最大30%しか入らない

3) ボトム層の「判断」をもって、「決断」せざるを得ない

4) それに加えて、トップ層の多くは泥臭い現場経験の少ない人が多いため、問題の本質が理解しにくい

[ボトム層の悲劇]：ボトム層の努力がうまく経営に反映できていないために起こる「誤解」である。その理由は、「トップ層の悲劇」を下位層(ボトム・ミドル)に認識されていないために起こる「誤解」である。

1) ボトム層には、現場問題について「上司なので1回言えば伝わる」という想いが強く働き、つい、こく説明し確認することがなくなる。上司が対応しないと、次第に言っても無駄だから言わなくなる。そして職制間の断絶が起こる。

2) 時には、ヒエラルキーの典型的現象である「上司に対しての忖度、迎合、諦め」が、その様にさせているものと考える。それを、この辺りも「場の雰囲気」が起こっていると考える。

3) 上司も部下1人のタテ関係が一番強い。そのため、即答できる部下が重宝される。上司は足元の損益が気になり、部下への期待も足元主義(近視眼)になる。

4) タテが特別強くない人は、ヨコの関係を使い、成果を出している。しかし、即答できないので重宝されないが、昇格も遅れる。即答する者が優先的に昇進する。たくさんの「やり直し」が生じる。

[働く人々の悲劇]：タテとヨコの連携が悪いことで、たくさんの「やり直し」が生じる。

1) 労働時間が長くなり、生活は会社主体になる。そして、家庭や自治会はとてつもなく疎かになる。これでは、働く人々と社会にとって決して良いことではない。

2) タテ関係が強いと、部下は常には上司がどう思っているか気になるので、暗く独りになる夜はますます不安になりやすい、眠れないか夜を過ごすことになる。

〈取り答く環境〉

● 高度経済成長期は、まだお金、設計、時間にゆとりがあった。

● トップが決めてボトムがやる。中抜きの判断・決断であった。

● 成功事例があったので、組織連携をとらなくても、まあまあうまくいった。(キャッチアップ)

● 失敗しても、他の穴埋めで穴埋めできた。精度は悪くとも、早く回す方が経営がうまくいった。

※ 上司は短期間の損益指向になりがちなので、近視眼的答えを望む。部下は、答えを無理に答えてしまう。そこに誤解の源がある。そして、自然に組織は近視眼に陥る。

※ 経験がなく知識だけだと、思考が限定的になり、近視眼に陥りやすい。将来を予測する難しいテーマの遂行が止まる。

組織が大きくなればなるほど運営が難しくなる。それは、共有化がしにくく統制がかけにくくなることに加え、経営に不必要な個々人の意思が強まるからである。

　現在は、成熟した経済社会下にあり、ビジネスが難しくなっている。そのため、多様な人々の能力を引き出し結集しないと成果を出すことができない。

3）権限をトップに集中させない

　組織には、たくさんの「判断」と「決断」のプロセスがある。トップの社長一人で対応することはできないので、権限を下位層へ委譲して仕事の質と効率を高めている。つまり、1人の人間は万能ではないところをヒエラルキーの上下やヨコの協力関係によって補っているのだ。参画する人々は、つねに利益を与え合う互恵関係にあることを忘れてはいけない。

4）目標は管理して達成する

　会社の「目標」を達成する手法の一つに、ドラッカーが考案した「目標管理」がある。ヒエラルキーのタテとヨコの連携を強固にして目標を達成していく方法である。一見面倒に見えるが、一番合理的な手法である。第5章1節「組織を束ねる目標管理」に示す。

次に運用において気をつけなければならないことを3つ示す。

1）三現主義に基づく思考と行動をとる

　階層が上がれば上がるほどに現場からの距離が遠くなり、現場視点が弱くなることである。これはヒエラルキーの宿命である。さらに、ヒエラルキーの負の働きとして「下位層が上位層にネガティブ情報を上げない」ケースが増える。上位職は裸の王様になりやすいわけだが、これも宿命である。

　そうならないように、つねに三現主義に基づく思考や行動が必要なのである。三現主義であれば、何が起こっても思考がぶれに

くいからである。担当者の見る目もトップ層の見る目も同じだということである。三現主義が唯一ボトム、ミドル、トップの共有化を可能にするのだ。

２）現場視点は下位層が補う

　上位層の現場視点が弱くなるところを補うのが下位層の人である。下位層が現場視点で「判断」して上司に上げ、上位層はその「判断」や本人の職位により得られる情報、自らのキャリアで得た力量でもって「決断」する。上位層は常に下位層によって支えられており、その「決断」で企業が運営されるということである。第２章１節「上位職にこそ必要な現場視点」で解説する。

３）上司と部下の関係を１：１の個人商店型にしない

　いまだに高度経済成長期のような上司と部下１：１の個人商店型の関係を続けている会社は多い。これでは、つねに上司は部下に対して優位に立つことになる。部下にとって上司は、仕事をくれる人であり自分を評価する人なので、つねに顔色をうかがわねばならない存在となるからだ。

　こうした上司と部下の関係を弱めるには、下位層のヨコ連携を強化すればよい。いろいろな価値観を持った人たちによる本音の語らいがヨコ連携を強くし、下位層の仕事力を高める。この方法については、第４章２節「組織をつくるグループ討議法」で示した。

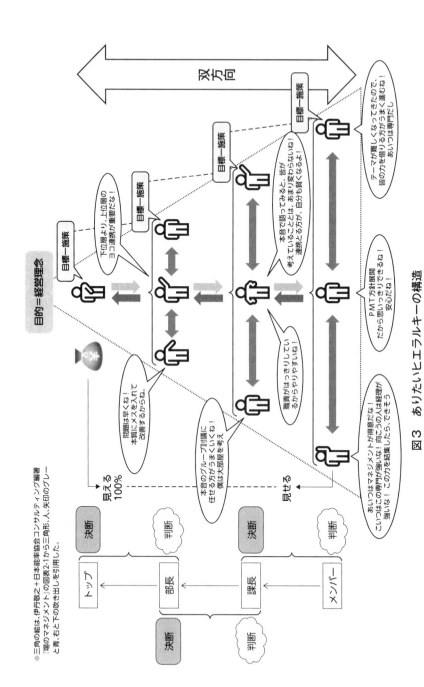

図3 ありたいヒエラルキーの構造

※三角の絵は、伊丹敬之＋日本能率協会コンサルティング編著『一場のマネジメント』の図表2-1から三角形と、人、矢印の人、青、右と下の吹き出しを引用した。と三角形を出し下のブレー。

〈ありたいヒエラルキーの構造〉

1) 組織は、目的があって作られるので、その目的である「経営理念」を定めて参画者で共有化する。そして、目標の達成に向けて活動する。それが統制である。

2) 全員が経営に参加して初めて組織が機能する。職責（上位と下位）には互恵関係がある。上が偉い、下は偉くないという軍隊式にヒエラルキーは存在しない。

3) 組織を効率的に動かす「権限移譲」がある。下位層が３現主義に基づき「判断」し、上位層が「決断」する。つまり、１人の人間は万能ではないところをヒエラルキーの上下やヨコの協力関係で補っている。参画する人々は、つねに互恵関係があることを忘れてはいけない。

4) 「上司と部下１：１の個人商店型」を断ち切る方法として、それがヨコ連携を強化し、仕事力を高める能力を持った人たちが本音を語り信頼関係を作る。それがヨコ連携づくりのグループ討議法で示している。この方法については、第12章「組織づくりのグループ討議法」で示している。

5) 下位層の議論から上位層や会社の課題を起こす（比較的簡単である）。下位による現場視点から上位層のヨコ連携を起こす。上位層はそれを放置できないとして、上位層の議論から上位層のヨコ連携を起こす。そして、社長もその臣下である臣下のヨコ連携をしなければならなくなる。その事例を第13章「トップチームへの連携事例」に示す。下位層のヨコ連携がタテをつなぐと、上位層のヨコ連携を起こすのである。

6) 会社の「目標」を達成する手法の一つに、ドラッカーが考案した「目標管理」がある。ヒエラルキーのタテとヨコの連携を強固にして目標を達成していく方法である。一見両側面に見えるが、一番合理的な手法で「組織を統制する目標管理」について示す。

〈取り巻く環境〉

● 成熟経済社会は、複雑・多様化しており、ビジネスが難しい。

● 成熟経済社会下におけるビジネスは、お金、設計にゆとりがなく、時間も早い。そして成功事例もない。

● 品質ロスを穴埋めするだけの儲けはない。

※ トップはスーパーマンではないので、わかりないことだらけ。だから「見える化」が必要。不足を臣を臣下、下位層が補う。そうして職位間の風通しをよくせねばならない。

※ 職位間連携（タテ）を強めるには、まずヨコ連携が必要である。

4．まとめ

　まず、ボトム層、ミドル層、トップ層それぞれの誤解を認識することから進めてほしい。そのためには、次節で述べる「組織をつくるグループ討議法」を行うのがよい。本音の語らいで問題の本質が明確になり、打つ手が明確になる。当初困り果てていた割には、難しい策ではないことがわかる。

2
組織をつくるグループ討議法

▌1．組織を硬直させるヒエラルキー

　第4章1節で説明したように「ヒエラルキー構造」を機能するように統率するのは簡単ではない。昔から起こっている集団（官民学）が引き起こす問題の原因は、大半が組織のタテとヨコの連携がうまくいかないことにある。特に、硬直したヒエラルキーは、軍隊式の指揮命令に陥るために、ほとんどの人たちが本音の語らいができずに孤立するのである。

　この節では、現役の2004年から株式会社フューチャーマネジメントアンドイノベーションコンサルティングCEO大岩和夫氏の支援を受けて「組織が本音で議論をする場」を体験し、私なりに研究を重ねて得た「機能するヒエラルキー」を紹介する。

　なお、伊丹敬之氏著『場のマネジメント』にまとめられている考え方を数多く参考にさせていただいたことも断っておく。

▌2．大型品質トラブルで「連携の弱さ」を知った

　すでに述べているとおり、私や事業部メンバーには、かつて「大きな品質トラブル」を体験する機会があった。当時、関係者とともに、とことん振り返りを行った。そこで得られた問題の本質は、第4章1節に示した組織のタテとヨコの連携の仕方であった。

　簡単に言うと、次の2点である。

　① ヨコ連携が悪い：個々人は孤立しているので、組織力が高まらない。

　② タテ連携が悪い：ボトム・ミドル・トップが分断されているので、企業力が高まらない。

経営がうまくいっている時は、人間関係がよく、伸び伸びやって

いるように見えていた。しかし、大トラブルを体験して、振り返りをする中でわかったことは、さまざまな人たちがさまざまな障害に直面しながら仕事をしていたということである。トラブルを深く振り返ったことで、初めて問題の本質がわかってきたのだ。

　いつもトップマネジメント層は、顧客満足（CS = Customer Satisfaction）を掲げ、同時に従業員満足度（ES = Employee Satisfaction）を重視するというが、日々の仕事にはCSやESは出てこない。儲ける手段のことばかりである。手段が目的化するので、経営理念や行動指針は忘れ去られてしまう。

　こうした風土においてボトム層が本音で語り合い、科学的に業務の改善を進めることは難しいということもわかった。

　この矛盾にぶつかり、原因を研究していた頃に、組織風土改革で有名な柴田昌治氏の著書『なんとか会社を変えてやろう』（日経ビジネス文庫）に出会った。組織のメンバーは組織風土の呪縛を受けている――この表現で私の理解が一気に進んだ。

　柴田氏は、組織風土改革に有効な手段として、気楽にまじめな話をする「場」（職場でない場所）を設けて「オフサイトミーティング」することを推奨していた。つまり「ヒエラルキーのネガティブな制約を取り去った場で本音の語らいをする」ことが、まず必要なのである。これには非常に納得したものである。

　この数年後に、次項で述べる「場のマネジメント」を知ることになった。

▌4.『場のマネジメント』から「連携の手法」を学ぶ

　私が企業に在籍していた2013年1月に、コンサルティング会社FMIC（Future Management & Innovation Consulting Inc.）の佐藤滋氏（現在、経営コンサルタント"Ba plus"）から組織づくりの手法をまとめた本として、ご自身も執筆に関わられた『場のマネジメント 実践技術』（伊丹敬之・日本能率協会コンサルティング編著、

東洋経済新聞社）を紹介された。本章は同書がベースになるので、次に「場のマネジメント」の本質について、了解を得て転載しておく。

〈ヨコの相互関係の大切さ〉p.19 1 〜 11 行、p.20 14 〜 17 行、p.21 1 〜 3 行を転載。

　　伊丹が提唱した場のマネジメントの本質は、タテのマネジメントからヨコのマネジメントへと、経営というものを見る視点を九十度転換することである。組織の中の人々は、ヒエラルキーのタテ方向の命令やコントロールに敏感に動いているばかりでなく、横を見て動いてもいる。ヨコとは、仕事の場の同僚であり、関係部署の人たちである。

　　ヨコを見るとは、他人の動きや言動から情報を読んでいることであり、自己評価を他人との比較で自然に行っていることであり、他人の目が気になって一種の自己牽制や自己発奮をしているということである。

　　つまり、組織の中で人々はヨコの相互関係を大量にしている。情報の交換や心理的な共振・反感といったさまざまな相互関係である。そして、仕事の場には常に、カネ、情報、感情という三つのものが同時に流れている。それが、人々に相互作用をさせる原因でもあるし、人々の相互作用の結果として三つのものが流れてもいる。

　　多くの人はタテのヒエラルキー中心のマネジメントの考え方に慣れ過ぎている。だから、組織の中の責任ある地位に就くと、錯覚を起こして、タテの命令とコントロールばかりを考えたがる。そのほうが、マネージャーとしての仕事をしている気になるのであろう。なかなか、場のマネジメントへは気が回らない。

　　しかし経営とは、タテの命令やコントロールのしかけである

ばかりでなく、ヨコの相互作用のための仕掛けを工夫すること
でもある。いや実は、現場での情報と感情の流れを主に左右し
ているのは、ヨコの相互作用なのでないか。

　私は「場のマネジメント」を体験から学び、これまでの経営の連
携（タテとヨコ）のまずさを痛感した。誰もが「レンケイ、レンケ
イ」と口にするが、Ｊ．Ｍ．ジュランの言う「連携」は極めて弱い
のである。大半がトップダウンであり、会議ばかり、連絡はメール、
都合の悪いことは包み隠すのである。ここに本音の語らいは見当た
らない。
　次に、伊丹氏の著書『場のマネジメント』と『会社を変えてやろ
う』をもとに、私がまとめた連携のポイントをプロセスに従い、以
下に示しておく。丸数字は、後の解説を参照。

　　　テーマ（目的と目標）……①
　→　制約から解き放された「場」の設置……②、③
　→　Ｋ：気づきや関心事の語らい……④、⑤
　→　本音の語らい（ガス抜き、不満を表現）……⑥
　→　同じ困りごとだと認識しあえる
　→　信頼関係が成立……⑦
　→　問題が自分ごとになる……⑧
　→　Ｆ：意味の明確化、振り返り（なぜなぜ）
　→　本質を深く考える
　→　団子状態の問題・課題を分離（ばらす）……⑨
　→　問題解決型テーマ・課題解決型テーマ
　→　施策を打つ（PDCA を回す）
　→　YWT（やったこと、わかったこと、次にやること）
　→　PDCA
　→　……

[解説]

① 「目的」を定めること。もし、議論がはずれたら「目的」へ戻ること。

② 組織風土の「呪縛」を受けにくい環境として、オフサイト（職場から離れた環境）で行うこと

③ メンバーが本音で語れる「場」として、同等の職位の人で編成すること

④ Kは気楽に「気づき、関心事、困りごと」を本音で吐き出し付箋紙（ふせんし）に書き出す（上司の顔色を考えずに吐き出すのみ）。この段階では、まだ対策は考えない。

[注意] ここで多くの人は、出た課題や問題ごとに対策を考え始めてしまうが、それでは失敗する。一般人の頭では、⑨で解説する「課題ばらし」と対策を同時に進めることはできない。

⑤ やってみると、日頃主張しない人も必ず書く。誰もが表現できる権利を行使するのである。この「場」では、会議などのような空中戦（声を出す）は禁じ手で、地上戦（文字に書く）に徹することで成果が得られる。

⑥ 自分以外への不満をぶちまけること。普段軋轢（あつれき）を避けて語らないようなことを語る。自分の非を考え出すと、思考が止まるので出さない。

⑦ 本音の語りは、多くの人が感じていることである。本音で語ると気持ちが通じ会えるので、信頼関係が一気に高まる（意気投合する）。

⑧ 不満を十分に吐き出すと、次は少し質の高い議論が始まる。つまり、自分のこととして考える（主体的になる）。これが人間のメンタリティである。

⑨ 普段、問題と課題が混同し、それぞれが団子になっていることが多い。ここで団子をほぐす「課題ばらし」を行う。F：「意味の明確化」「振り返り」「なぜなぜ分析（要因探し）」をとこ

とんやると、自然とほぐれてくる。

⑩ T：「次にやること」の問題や課題はさまざまな役職者にまたがるので、「会社、トップ、上司、他機能、部下」というように分担しなければならない。分担は上位職に委ねるとよい。それができるように、テーマの設定は上司とのすり合わせが必要である。上司のテーマに昇格すると比較的進めやすくなる。

⑪ すべてのプロセスは「目的、目標」を果たすための討議である。よって、できるかぎり「科学的に行う」こと。つまり、「三現主義（現物、現場、現実）」「原理、原則」であること。また、忘れがちになる「人権の尊重」は、すべてのプロセスで上位に位置するのは当然であり、個人攻撃に陥らないようにする。

　以上が、従来の組織の風土から脱した「場」を設けて連携するためのポイントである。

5. 組織をつくる「グループ討議方法」

連携するための工夫

　タテのヒエラルキーにとらわれ、ヨコのつながりが失われていると、組織は機能しない。そのために日々全員が困っている。困り果てても、議論して問題や課題を解決しようとしない。それは、入社して現在に至る過程でそのような訓練をしていないからである。どうしようもないことなのだ。私もそうであった。

　トップとミドルは個人の想いが強く、ストレスをともなう「連携」活動には消極的である。結果的に、困り果てているが誰とも利害関係のないボトム層から「連携」活動を行うのがよいとわかった。

　ボトムの困りごとから、課題をばらしていくと、上位職に関わる会社全体の問題や課題も明らかになる。そのボトムの問題と課題をミドル層・トップ層へ報告する場を設けて、ボトム層が自ら本音で

報告する。

　ミドル層とトップ層は受けた問題と課題について経営観点で議論を行う。このプロセスでミドル層、トップ層それぞれのヨコ連携に結びつけていく。

　取り組み当初から議論を深めようとするなら、「品質トラブル」「顧客クレーム」案件が一番効果的である。「トラブル」や「クレーム」の問題が大きければ大きいほど議論は有意義なものとなり、経営構造を大きく変えることが可能である。

　基本プロセスは以上であり、次に具体的な活動方法を示していく。

1）　ボトム層のヨコ連携

　ボトム層は従順なので、上位職から指示（誰のために、何をやるか）があれば一生懸命にやる。現場を知っている人たちなので、事実関係の討議は非常に容易である。次が手順である。

① テーマの目的を明確にする（上位職からの提示が良い）

② グループを編成する（3～4人／グループを3～4グループ編成。できるだけ同じ職位の人で構成。）

③ テーマの目標を設定する（到達レベルまで示す）

④ オフサイトで行う（可能であれば）

⑤ 議論はメンバーが主体で行う（いわれて行うのではない）

⑥ 本音で語る（不満を吐き出すつもりで）

⑦ メンバーの「信頼関係」を作る（本音の不満が信頼関係を高める）

⑧ 事象について「なぜなぜ分析」をする（本質を追及する）

⑨ 課題をばらす（複数の課題が団子になると、解決の組み立てが難しくなる）

⑩「問題と課題の担当」を決める（担当は、会社、トップマネジメント、ミドル、自分たち、多機能、下位層などさまざまである）

⑪ 施策を打つ

2) トップ層とボトム層のタテ連携、トップ層のヨコ連携

基本的にボトム層のヨコ連携と同じである。トップ層が連携に慣れていないので、導入は「下位層で起こっている問題」をトップ層に披露することから始めるとよい。問題は大きければ大きいほど最終的な経営効果は大きくなる。一番有効なのは、顧客に迷惑をかけた問題案件が良い。高額の求償案件などは絶好のテーマである。

① テーマは「ボトムの困りごと」

② ボトム層（1名か2名）が話者となり、トップ層に30分ほどで説明する。

③ トップ層が質疑し理解する。

④ トップ層がK（気づき、関心事、困りごと）を付箋紙に記録する。

⑤ 事象について「なぜなぜ分析」をする（本質を追及する）

⑥ 課題をばらす（複数の課題が団子になると、解決の組み立てが難しくなる）。問題と課題の担当を決める。

⑦ 施策を打つ（ちゃんとやれば下位層にも通じる。やらなければ「やっぱり」となる）

以上の事例を第4章3節「トップチームの連携事例」に示す。

3) ミドル層のヨコ連携、タテ連携

日本は、管理職を専門職とみなさずプレイングマネージャーとして扱ってきた。部下の指導・育成だけでなく、自身も売上げアップに貢献することが要求されたのである。そのため、管理職の中には近視眼的に成果を追い求め、組織全体を把握できていない者も多い。

そのようなことで、ミドル層のグループ討議は容易でない。

この場では、最も重要な自分の役割を「下位層が動きやすい環境を整える」ことと見定め、まず、部下たちがどのように仕事をしているのか、何に困っているのかを徹底的に知る努力をすべきである。

そのために少し辛抱して、ボトム層が議論したKFTを理解するほうが早道である。組織の問題と課題が鮮明に見えてくるであろう。

現実はなかなかそのようにできないらしいが、この障壁を乗り越えなければ管理職の役目を果たすことはできない。うまくいけば、部下たちとともに組織の問題と課題をまとめ上げることができる。

　重要問題が確認できれば、次は管理職が話者となりトップマネジメントへ報告し、トップチームの議論をすればよい。

　ここまでの組み合わせで、組織のヨコ連携とタテ連携が可能になる。

謝辞

　本章の提案は、柴田昌治著『会社を変えてやろう』で気づきが起こり、伊丹啓之著『場のマネジメント』を体験して得られた「連携」の方法である。両著者に深く感謝申し上げたい。

3
トップチーム連携事例

▌1．タテをつなぐ方法

　一般に組織の人員が多く（従業員 500 名以上）階層が多いヒエラルキー構造において、組織を成り行きで運営すると、トップ層はますます孤独になることが多い。

　第4章1節でヒエラルキー構造の「トップの悲劇と解消法」を紹介した。悲劇とは「トップには正確な情報が入りにくい、情報不足のままで決断せざるを得ない」からである。

　この状況は経営にとって好ましくない、この改善にはタテ（ボトム―ミドル―トップ）をつなぐ（連携）しかないと考えた。2010年に株式会社フューチャーマネジメントアンドイノベーションコンサルティング CEO 大岩和夫氏の協力を得て企業のタテ連携とトップ層のヨコ連携の活動を起こしたので紹介する。

▌2．「トップチーム作り」の紹介
1）活動の起こり

　私が現役の終盤、ちょうど品質保証責任者を担っていた頃の活動である。第4章1節で示した「トップの悲劇」の原因の一つは、現場情報が「トップ層」に正しく届いていないことにあると考えた。

　日本のモノづくり業界では、1970 年頃に TQC（総合的品質管理）、1990 年頃に TQM（総合的品質経営）など全社活動を展開していたように言われていた。またトップ層の口癖は「皆で連携をして、生産効率を高めよう！　儲けよう！」というものであった。しかし、トップ自ら総合的に、全社的にといった言葉を口にしながら、タテの連携や活動への参画が弱いように感じていた。

　トップ層の側ばかりが悪いわけではない。ミドル層・ボトム層の

側も、普段ネガティブ情報をなるべく上に伝えないことが習慣となっていたからである。そこで私は、トップ層にネガティブ情報＝「大きな現場問題案件」を見せることにした。ミドル・ボトムの社員にとってみればとんでもない行為であるが、あえてそれをしたのである。

2）活動の進め方

企画名を「トップチームビルディング：T.T.B」と称し、企画をトップ層の社長と副社長に説明して合意を得た。

活動を開始したのは、それから4か月後である。

3）活動の押さえ所

活動では単刀直入に過去の「ワーストトラブル」事例を披露することにした。苦労した担当者から三現主義で直接トップ層（編成したトップ2チーム）に説明した。普段の経営執行会議では決して語られることのない生々しい文言が飛び交った。事実に基づくので、発表者は理路整然と語ることができたように思う。トップ層は、生々しい出来事を経営者として真摯に受け止め、納得するまで不明確な点を質問した。ここで責任の所在は問わない。トラブルのプロセスを事実に基づいて、検証していく作業になる。

こういった検証作業は精神衛生的にも好ましく、人間が素直になれる環境でもあるように感じた。つまり、科学的なので、雑念を持たずに本音で正直に議論できる。直接体験した現場の人間による具体的な話なので、誰にでも同じ解釈ができる。真摯で科学的な議論は人間の信頼関係を作るようである。

それぞれのトップチームは、議論を通じてK（気づき、関心事、困りごと）を付箋紙に記載し、F（振り返り、意味の明確化）して問題の本質を明確化していく。最後は、T（次にやること、課題）をばらし「問題解決型テーマ」と「課題解決型テーマ」を策定する。

次ページから、トップチームが課題形成をして、経営を振り返りしたところまでをパワーポイントでまとめた図を示す（翌年の春に発表会にて用いたパワーポイントである）。

3．トップチーム作り活動紹介

トップチームビル活動事例
〜現場起点（現場、現実の事例から）〜

<u>1．トップチームビル</u>
社長チーム：4名
副社長チーム：4名

<u>2．下位展開チームビルメンバー</u>
本部長チーム：6名
執行役チーム：10名
事業部長チーム：5名
事業所長チーム：6
名部門長チーム：4名

2011.4.26
A1Q0推進事務局(平井、高畑、山岡)
FMIC/CEO大岩様
A NEW鈴木(開始当初)

トップチームビル活動に着手した背景

1．職責の高い人たちによる当社の全体最適化

2．トップ層には事実のmax.30％しか入らないので、判断・決断がしにくい(ムラタはmax.10％か？)
　※ジュランさん：労働の1/3は過去分のやり直し(11.6.26追加)

3．連携を図り、現場の見える化が図れれば、経営判断・決断が容易になる

4．ボトム〜の活性化を図り、バリューチェーンを強める必要性
　①ビジネスプロセス(機能間)バリューチェーン
　②プロダクト・テクノロジーバリューチェーン
　③階層間バリューチェーン

　生産性が高まり(ES)、CS向上による持続可能な成長へ

5．企業の品質保証とは、経営の品質が高いことを意味する
　※ジュランさんが発想した品質管理である

トップ層にチームビル活動をお願い

1. トップの行動が、従業員の意識を変革するための非常に大きな推進力となる。

2. トップ層の一つの意思が、全従業員の価値観を一つに合わせる。

3. トップ層の連携は全階層、全機能のバリューチェーンの基盤となる。

トップ層、皆様のご協力をお願いします。

社長チームビルの趣旨と展開法

トップチームビルの場合

■主旨	■アウトプット
トップのヨコ連携と全社の見える化によるシナジー（二次中期計画実現力アップ）	経営陣しかできない改善事項の課題形成と仮説検証（実行は執行役・各部門）

展開法：　Target CAPDoの「T」「C」「A」を中心にする

めざす姿の絵

インプット
1）現場の声/改善の現状
　　（製造・開発・クレーム）
2）お客様の声
　　重大クレーム・期待

課題形成

Target

Check

Action
課題形成

Plan
〈仕組み〉

Do

執行役チーム

社長チームビル　メンバー構成

1. トップチームビル
　　社長チーム：4名
　　副社長チーム：4名

＜参考＞
2. 下位展開チームビル　メンバー
　　本部長チーム：6名
　　執行役チーム：10名
　　事業部長チーム：5名
　　事業所長チーム：6名

社長チームビルの運営イメージ

(1)話題提供　30分
(2)各役員がKFT書き出し
(3)役員間の討議
(4)仮課題形成(座長)

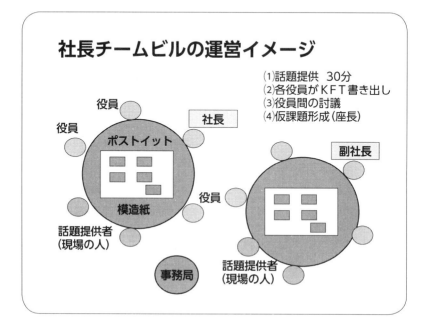

討議の流れと役割（お願い）

1. テーマ
   ・現場の問題案件、・8事例（2件／月）、・4か月間
2. 討議の進め方
① 話者が事例報告（30分）
② 聞きながら各参加者がKカード作成
   K：関心事・困り事・気になること
③ KFT討議
   1st. 各人のKを紹介し共有
   2nd. Kのグルーピング
   3rd. F・Tの作成
       F：振り返り（意味の明確化）
       T：課題ばらし（問題の改善、他への提案含む）
5. 課題ばらしの発表
   チームとしての結論を出し、議長が結果を発表。

```
K

* * * * * * *
* * * * * *
                山田
```

討議模造紙

K（関心事項）	F（振返り・要因）	T（改善着眼）
* * * ▢▢▢ ▢▢	▢▢ ▢	**1.** * * * * * *
* * * ▢▢ ▢▢	▢▢▢	**2.** * * * * *
* * * ▢▢	▢	**3.** * * * * *
		4. * * * * *

トップチームの KFT 風景　2010年9月25日

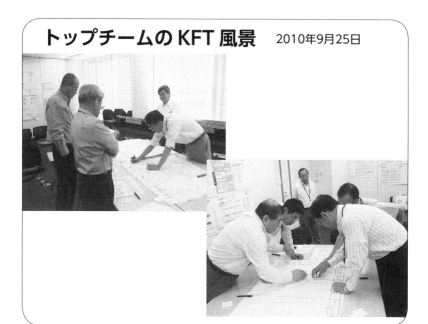

活動のアウトプット

【課題ばらし】
　2010 年 9 月 25 日に話者の 8 事例からの個別課題を、
5 つのグランドデザイン関連課題にまとめた。（次頁）

【チームの気付き】
・社長チーム：問題はトップのリーダーシップ
・副社長チーム：コスト至上主義から品質を上げてコスト
を下げる（経営陣の哲学：トップのリーダーシップ）
※コミュニケーション不足の認識が共有できた。

トップチームによる課題形成

【テーマ①; グランドデザイン】
※グランドデザインとは「壮大な図案・設計・着想。長期にわたって遂行される大規模な計画。」

【テーマ②; バリューチェーン高質化】

【テーマ③; 個々のバリューアップ（顧客起点で自分価値拡大）】

【テーマ④; 新規事業の成功率アップ】

【テーマ⑤; 海外生産拡大と国内空洞化対策】

トップチームビルの展開

トップチームビルで課題形成したグランドデザイン関連の５つのテーマについて、12/28 より下位展開チームビルを含め課題バラシ活動へ。

・自らやるテーマ
・下位へ展開するテーマ

に分けて取り組んだ。

以下省略

テーマ1　社長図 (2010年12月18日)

下の社長図をもとに、後日
村田のG.Dが完成している（略）

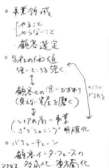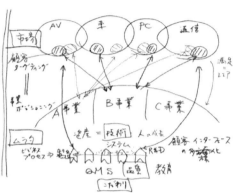

事務局の気づき

＜良かった点＞
・現場の事実に基づく議論は、すばらしい成果をもたらした。
・トップチームが変わり、リーダーシップを発揮した。
・大局的な視点で語り、課題形成に努めた。
・Good Discussionができた。
・現場で見えないシナジーが出てきた（現場A NEWが動き出した）。
→若手は関心を持って見守る。

＜要改善点；継続的改善＞
・コミュニケーション不足。
・トップ決断時の機能間連携（判断役）不足。
・現場の事実を聞くだけではだめで議論し行動することが必要。
・1回インプットしただけではアウトプットが難しい。
→T-CapDoの継続により階層間バリューチェーン強化につながる。

今もなお、チームビルが継続していることを確認した。(2019.5山岡)

　トップチームの皆さんは、非常に真摯な態度で討議を進めた。社員を束ねる手段として、最後に「グランドデザイン」を描いた。

　普段、トップチームにはこのような場が存在しないのである。このことは、ボトム、ミドル、トップの誰の問題ということではない。ヒエラルキー構造の運営において起こる宿命である。今回の討議場面は「宿命」を一変させる手段であった。どのような組織構造も、「意図して組織を運営する」形に変えられることを証明した事例である。

　こういった場を通じて組織運営のあり方を深く考えれば、役立つ答えが必ず得られる。やるかどうかも含め、すべてはトップチームに委ねられているのである。

▎4．トップチーム作り活動の注意点

　企画推進する者は、少し時間をかけて企画を熟成させる必要がある。特に大事なことは、発表者が堂々と三現主義に基づき語ることである。発表者がボトム層であればほぼ問題なく語りつくす（これは断言できる）。ところがヒエラルキー構造が身に染みついている管理職層の場合、トップマネジメント層を前にすると心理的な自由を奪われ語れなくなる。おもしろいほどに人が変わってしまうのである。そうなると、当初の問題は消え失せ、ほとんど世間話で終わってしまう。

　したがって、発表者とは事前に何度も打ち合わせを重ねる必要がある。あるいは、最初からミドル層は出さないことにするのも選択肢の一つである。また時には、当初の目的からずれるが、ミドル層のメンタリティーを知る観点から意図して行うのもよいと考える。

　うまく進めるポイントは、くり返しになるが、「三現主義に基づき語ること」「心のブレについても語ること」である。このことでボトム層とトップマネジメント層の信頼関係が出来上がり、トップ層も客観的思考ができるようになる。これが人間本来の姿だろう。

　つきつめれば、経営がうまくいかない原因はボトム、ミドル、トッ

プ層間の信頼関係が欠如していることにある。本書では、いろいろ
な角度から階層間の関係改善法を示したつもりである。

そんな経営でなぜ倒産しないの？

経営学校の先生と生徒の会話より。

先生　ひどい経営をしている企業が非常に多いよ。時に従業員は疲弊して辞めていくのだ。でもまた転職組が入社してくるので役員層は不自由を感じないようだ。人を取り換えし続けると、組織力が低下していくのだが、近視眼の経営者はわからないでいるよ。

生徒　そんな状態で経営が成り立つのだろうか、なぜ倒産しないのだろう？

先生　創業時に築いた強みが顧客の信用を得てビジネスできているのだ。現場の人たちが強みを大事にしながら真摯（しんし）に取り組んでいるからだ。限られた強みに頼ったビジネスなので、先が危険だよね。特に人材が育成されていないのが問題だよ。

生徒　そんな事業だと継続は難しいのでは？

先生　この国は、こんな企業ばかりだよ。優れた企業が出てこないからだよ。効率の悪い企業が標準になっているのだ。効率が悪くとも生き残れるのだよ。そのやり方で、この国のムラ社会が成り立っているのだよ。そんなことやっているから後継者が育成できないでいるのだよ。

生徒　低い効率による高いコストを誰が負担しているの？

先生　馬車馬する従業員や買い手だよ。主に、家庭を犠牲にしている従業員だろうな。

生徒　家事、自治会活動、防災活動などはどうしているのだろうか？

先生　仕事一本だから何もできていないよね。

生徒　社会にゆがみが起こるのではないだろうか？

先生　そのとおりだよね。国の財政が悪いのもその辺に原因があると思うよ。この間テレビで日本人とドイツ人の生産性について議論していたが、ドイツの生産性は日本の1.5倍だという。ド

イツ人の労働時間は日本人より 350 時間短い統計が紹介されていた。この違いを分析する必要があるね。「自分の人生を楽しむために仕事を標準化し合理的にやるドイツ人」「軋轢を避けて忖度し、迎合しながらサービスする日本人（馬車馬）」と紹介されていたよ。

生徒 これだけ時間にゆとりが出れば、もっと家庭サービスも自治会活動もできるよね。社会全体がうまく回るように思えるなー。一度皆で真剣に考えてみよう。

第5章

組織づくりのために

1

組織を束ねる「目標管理」

▌1. 組織をまとめるためには

　本章では、品質管理の最終章として、品質管理の目的である「組織のまとめ方」を示していく。ここで勧めるのは「目標管理」という手法だが、前段で日々起こっている組織問題や課題を認識し、後半では対応として先人が築いた「目標管理」を解説していく。

　読者が心理的にも理解しやすいよう、私の体験のドロドロした部分も記しているがおつきあいいただきたい。そして、是非ともトップ層を交えて本章の議論を進めてほしい。

　なお、「目標管理」の手法を紹介したすばらしい専門書はすでにいくつもあるので、ここで手法を一つひとつ説明してはいない。ただし、必要なポイントは伝えられているはずである。

▌2. 職場で何が起こっているのか

　がんばって遅くまで残業して仕事をやり終える。次の日も、また頼まれてがんばって馬車馬のように仕事をする。その場は、達成感を抱くが、どうもおかしい。こんなことを繰り返しているうちに心身ともに疲れを感じるようになる。年度末に振り返りをすると、当初のテーマがほとんど手つかずになっている。それでも気を取り戻して新年度に挑むが、期末には同じことに陥る。

　こんなふうに感じている社員が予想以上に多いことに、いくつもの企業を指導しているうちに私は気づかされた。私のような部外者は利害関係がないので、ほとんどの企業で同じような本音が聞こえてくる。この主たる要因は、大半が「連携」の悪さにあるのだが、そのせいでとんでもないことが起こっているのである。

▍3．なぜ組織はうまく機能しないのか

あらゆる経営には、「目的」がある。目的のために「人を雇用し、仕組みを作り、方針を展開して成果を出そうとする」。

ところが、ビジネスの形ができて走り出すと、多くの人は（トップマネジメント層もふくめて）経営の「目的」や「全体最適化」のための連携を忘れてしまう。そして、自分の気持ちが一番安定する「自分の最適化」を目的と定める。自分の満足を追求し過ぎると、近視眼で非科学的な動きに陥りやすくなる。そんな職場には人材が育たないので、遅かれ早かれ経営は行きづまる。

次に階層が陥りやすい典型例を示しておく（第4章1節で解説している）。

　ボトム層（現場）……顧客のためにモノづくりとサービスという仕事を行う。日々売り上げに結びつく仕事をこなしており、もし、現場で問題が起これば正直に上司へ報告する。上司の指示がなくても動くのがボトム層である。

　ミドル層……ボトムからの問題提起を「上司に言うと面倒になるからまだ言わなくてもよい」と考えるようになる。ボトム層の提案のほとんどはなかったことにされ、両者の信頼関係も徐々に失われていく。一番の関心事は、顧客でも従業員でもなく上司の顔色であり、何にもまして上司の意向に沿おうとする習慣ができている。トップへの現場情報を止め、トップにクレーム処理をさせないようになると、トップ層の力量を著しく低下させる結果を招く。

　トップ層……現場の重要問題が届きにくくなる。ミドル層を経由すると無難なものしか上がってこないからである。トップ層

に届く情報は一説に最大30%といわれている。この低い情報量でトップは重要案件を「判断」し、「決断」することになる。またミドル層の不必要な気遣いが、トップ層の体験機会をも失わせる。その結果、トップ層の経営力を著しく低下させるという恐ろしいことが起こっている。

ヒエラルキー（階層構造）は、大勢の人間から構成される組織を動かすためには必要なものである。

しかし、ボトム・ミドル層にしてみれば、トップ層が彼らの命運を握っているようにも見える。それは、ボトム・ミドル層に不必要な気配り、忖度、迎合などの行動をとらせるからである。それに慣れたトップ層は、波風のない居心地のよい状態に安住してしまう。

本来、ヒエラルキー構造は経営を合理的に行う手段である。その欠点も意識しておかなければ、ボトム層、ミドル層そしてトップ層は経営の目的とかけ離れた振る舞いをしてしまうのである（第4章1節「トップの悲劇と改善法」図2参照）。

社会で問題化している官民学のトラブルの多くは、組織の破綻が原因である。だから、組織は常に良い状態を保つ管理が必要なのである。

▌4. どうすればよいのか？

本来、多様な人々の集まりは、信頼関係がないので運命共同体になれるものではない。ところが、「連携」や「団結」といったスローガンのもと、組織運営は形骸化したまま目先の成果を目指して突き進む。まさに太平洋戦争末期の日本軍のようなふるまい方である。そういった組織は、近視眼的に成果（報酬）を求め過ぎるので、悪循環を繰り返しやすくなる。度が過ぎると険悪な空気を読んで生き長らえようと保身が働くのである。

いずれのケースも、根本的な問題は「人々のまとめ方」にあると

いえるだろう。

　私は、品質トラブルを体験し、振り返りを重ね、こういった不都合を起こしにくい組織運営の要件を次の4つにまとめた。

　① 組織は多様な「性（さが）」を持つ人々の構成であることを理解する
　② 人々をまとめるために、組織が目指す「目的」と「目標」が必要である
　③ 本音を語り合い、人を知って信頼関係を作る
　④ ものごとの解決には時間がかかる。近視眼的に成果（報酬）を求める気持ちを抑え、科学的管理手法に基づき進める。人の成長には長い時間が必要である

　この観点で組織を運営すれば、高い確率で効率が向上していくと確信する。最初の賛同者は0.1％かもしれないが、時間が経つと1％、10％……と増えてくる。今連携が悪く困り果てた組織であれば、5年で効率が30％ほど改善する。このようにして、2〜3年我慢すれば人材が自社で育ってくる。人の定着率が上がると組織力が高まってくるという相乗効果を得る。

　こういったことを体系的に行うのが「目標管理」である。品質事故という経営体験を通じて、本当に「目標管理」にすがるのが一番だと考えるようになった。

▌5．目標管理の理解
目標管理を定着させるポイント

　多くの企業人なら「目標管理」という言葉は聞いているはずである。取り組んだ企業も多いはずである。しかし、なかなか定着せず苦労しているのではないだろうか。

　最初に、この問題の本質を整理しておく。

　「目標管理」を導入しているという企業の大半は、形骸化した形

に陥っているようである。その理由は、トップマネジメント層が本気で取り組まないので会社全体の活動にならないことにある。本気で取り組まないのは、これまで気ままに「判断」「決断」していたやり方が使えなくなるからである。独断が効くトップ層にしてみれば、科学的手法はとてつもなく遠回りな道のりに見えるはずである。

そのため、「目標管理」推進事務局は、トップマネジメント層の主体的な参画をあきらめて、先に仕組み（形）を作成して下へ（ミドル層―ボトム層）丸投げせざるをえなかった。かつての「品質管理」導入時の再発である。

「目標管理」は、全社をまとめる手段なので、導入に際してはトップマネジメント層の理解が第一である。「全社をまとめるテーマ」に位置づけて、時間をかけて仕組みを整えることをお願いする。

目標管理のイメージ

「目標管理」を運用する際のポイントを、次ページの組織概念図にまとめた。図中にある丸数字を、以下で解説する。

① 自分の存在

自宅、社会、職場で生きる自分がいる。あなたが職場に求めるものは、仕事を通じた「自己実現」である場合が多いのではないだろうか。

職場がいい加減に運営されていると、仕事の効率が悪く（無理・ムラ・無駄が多く）苦労する。だからといって、組織から抜けるわけにはいかない。そして心身ともに疲弊し「自己実現」とは程遠い環境で労働することになる。会社で多くの時間を使うと、自宅や自治会での活動できなくなる。無意味な我慢は組織にとっても個人にとってもよくない。

［ポイント］歪んだ組織の中で孤立すれば、自分を見失ってしまう。

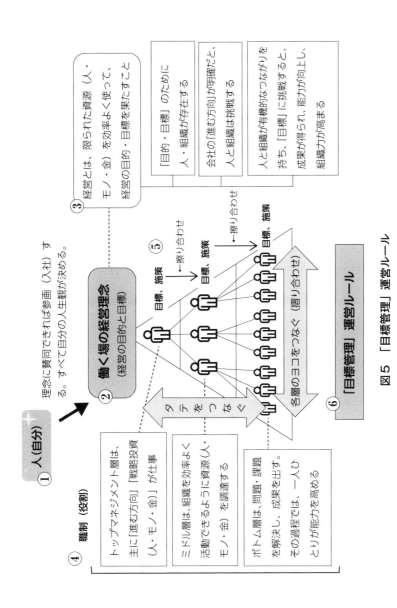

① 人（自分）

理念に賛同できれば参画（入社）する。すべて自分の人生観が決める。

② 働く場の経営理念
（経営の目的と目標）

③ 経営とは、限られた資源（人・モノ・金）を効率よく使って、経営の目的・目標を果たすこと

「目的・目標」のために人・組織が存在する

会社の「進む方向」が明確だと、人と組織は挑戦する

人と組織が有機的なつながりを持ち、「目標」に挑戦すると、成果が得られ、能力が向上し、組織力が高まる

④ 職制（役割）

トップマネジメント層は、主に「進む方向」「戦略投資（人・モノ・金）」が仕事

ミドル層は、組織を効率よく活動できるように資源（人・モノ・金）を調達する

ボトム層は、問題・課題を解決し、成果を出す。その過程では、一人ひとりが能力を高める

タテをつなぐ

⑤ 目標、施策　→擦り合わせ→　目標、施策　→擦り合わせ→　目標、施策

各層のヨコをつなぐ（擦り合わせ）

⑥ 「目標管理」運営ルール

図5　「目標管理」運営ルール

99

そうならないように、回帰できる原点を持つべきである。

② 働く場の経営理念

　自分の価値観に合った「経営理念」だと、参画意識が高まりモチベーションが高まるであろう。もし、賛同できなければ辞めていけばよい。この決断には少し時間がかかるかもしれないが、いつも「自己実現」が果たせる場を求めて生きるべきである。

　　[ポイント] 経営理念は、働く場の原点である。人の心は常に揺れ動きやすいものだ。だから原点回帰の繰り返しが必要である。例えば、ドイツ BOSCH 社の経営理念は「信用を失うくらいなら、むしろお金を失った方がよい」というものである。行動指針が明確である。私が勤務してきた村田製作所の場合は、「科学的管理」が柱である。心が揺れ動いた時に原点回帰しやすい理念である。

③ 経営のこと

　経営とは、限られた資源（人モノ金）を効率よく使って経営の目的・目標を果たすことだ。

　・目的と目標のために人がいて組織がある

　・会社の「進む方向」が明確だと、人と組織は挑戦する

　・人と組織が有機的つながりを持ち「目標」に挑戦すると成果が得られ、能力が向上し、組織力が高まる。事例を図6「目標の連鎖図例」（103ページ参照）に示した。

　　[ポイント] 私が勤務していた村田製作所は、昭和29年（1954）世界不況のあおりを受けて希望退職を募るという事態に至った時に「何のために、我々は仕事をしているのか」を改めて確かめるとともに、従業員のよりどころにする一つの共有理念がまとめられた。

④ 職制

　ボトム、ミドル、トップに異なった役割があり、役割を行使できて組織全体が機能する。

・ボトム層：問題・課題を解決し成果を出す。その過程では、一人ひとりが能力を高める。

・ミドル層：組織を効率よく活動できるように資源（人・モノ・金）を調達する。タテ（ボトム、ミドル、トップ）をつなぐ要となる。

・トップマネジメント層：主に「進む方向」と「戦略投資」を決定。

　［ポイント］それぞれ職責のための職位があり、それぞれが機能して初めて経営が行われる。上下関係は、上が偉い下は偉くないというものではなく、お互いに互恵関係にある。時々権限が権力化する時があるが、それは誤りである。組織人は、これを勘違いしやすい。

⑤ 目標展開

　経営理念の下で、これまでを振り返り、取り巻く環境を勘案して会社の方針を策定する。原則、メンバーの参画意識を高めるためにもメンバーの意見が反映されることが望ましい。図7「目標（方針）展開の概念図」（103ページ）、図8「目標（方針）管理の例」（105ページ）のように下位層へ展開される。

　展開は、一方的ではなく、下位層の都合を考慮し「すり合わせ」して決めていく。つまり、暫定の（仮に決めた）上位方針について下位層がヨコのすり合わせをした上で、上位層と再調整し方針が確定する。このタテとヨコの「すり合わせ」が重要なポイントである。

　［ポイント］上位職は下位層の諸般の事情がわからないのが普通である。なぜならば、下位層は上位職から頼まれれば決して「ノー」とは言わない、キャパが満杯でも断れないのである。上位職はどんどん押し込んでくる。下位層は自分のテーマが止まるがどうすることもできない。

　階層間の連携は、こういった事情を理解していなければ、上位職が一方的に厄介ごとを下位層へ押しつけることになる。普段から仕事を丸投げしていると、現場の実態がますます見えなくなる。見えにくくなると、さらに上位職の顔色が気になり、上位職の指示待ち

に陥る。これが分断であり、全体の効率は著しく低下する。

　［ポイント］目標管理は、社員が経営に参加できる仕組みである。
　　　面倒かもしれないが、「過年度の振り返り」「方針のすり合わせ」
　　　「方針展開」をした方が意思疎通は断然よくなる。また、この
　　　過程では参画者の知恵が方針に反映されるので、より効果的で
　　　ある。連携の取り方は、第４章２節「組織をつくるグループ討
　　　議法」に示した。

⑥「目標管理」するためのルール

　社会の法律と同じように、社内にも運営するための「社内法律」
が必要である。標準化するためのルールを定めて管理するほうが圧
倒的に楽になる。

　ルールを嫌がる人が多いが、ルールがないと、何でもありとなり
上位職に都合のよい暗黙のルールが動きやすくなる。

　管理（Management）を嫌がる人がいるが、多様な人々で運営す
る組織において「管理」なしで運営することは不可能である。多く
の自治会がうまく機能せず、何年たっても進化できないのは、運営
のルールがないからである。

　［ポイント］人々が本来やりたいことは、管理ではなく、発想し
　　　て人の役に立つことである。管理は、人がやりたいことを促進
　　　させる役割がある。管理ができない職場で働くことは避けたほ
　　　うがよい。

「目標管理」でできることの再確認

しつこいようだが、私なりにつかんだことを簡潔に示しておく。

【目標管理でできること】

① 進む方向（目的と目標）が明確になり、意思疎通が図りやす
　　くなる。経営に参加する人々（ボトム、ミドル、トップ）をま
　　とめやすくなる。

② テーマ（仕事）がタテの階層とヨコの人でつながるので、風

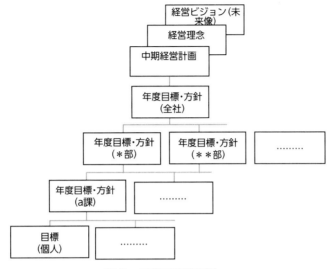

図６　目標の連鎖図例

（金津健治著『目標管理の手引き〈第２版〉』図表 3-2 をもとに作成）

目標管理は、トップマネジメント層が主導で
行わなければならない。タテ階層間ですり
合わせすることが重要である。

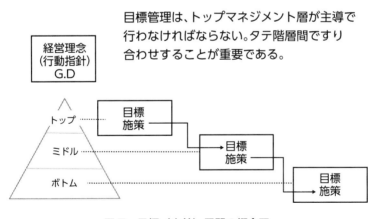

図７　目標（方針）展開の概念図

通しがよくなり、あらゆる連携が取りやすくなる。

　まず、上位職との連携が取れるので、忖度する必要がない。「ノー」もありとなる。

　次に、階層ごと（ボトム層、ミドル層、トップ層）のヨコ連携が取れるので、信頼関係ができ「知恵が膨らむ」。

　最後に、トップは戦略的に「人・モノ・金」の投資がしやすくなる。例えば、計画どおりに進んでいれば、引き続き任せる。トップの出番はない。もし、計画どおり行かなくて困っていれば、トップマネジメントする（資源を適正に配分する）。トップ層の出番である。

③ テーマの管理を科学的に行うので「人材が育つ」「技術が高まる」「組織力が高まる」というふうに、企業が成長するために必要とする力が高まる。

④ 毎年、改善活動（PLAN - DO—CHECK—ACTION）を繰り返せば「進化」が起こる。「人が育ち、技術が高度化」→「組織が育つ」→「企業の経営力が高まる」。

　このように職制（役割）を全うするので、組織の理想的な成果が期待できる。

▎6.「目標管理」の導入

　これから本格的に「目標管理」に入ってもらうのだが、本章では解説しない。「目標管理」をテーマとした解説書がたくさんあるので、自ら選択してほしい。

　私がこの数年間用いて効果的であった書籍は次の本である。

　金津健治著『目標管理の手引き〈第2版〉』（日本経済新聞出版社）

▎7．効果的な「目標管理」の紹介

　ここでは、具体例として効果的な「目標管理」法を一つだけ紹介しておく。

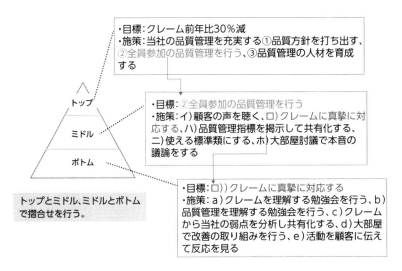

・目標：クレーム前年比30％減
・施策：当社の品質管理を充実する①品質方針を打ち出す、②全員参加の品質管理を行う、③品質管理の人材を育成する

トップ

ミドル

ボトム

・目標：②全員参加の品質管理を行う
・施策：イ）顧客の声を聴く、ロ）クレームに真摯に対応する、ハ）品質管理指標を掲示して共有化する、ニ）使える標準類にする、ホ）大部屋討議で本音の議論をする

トップとミドル、ミドルとボトムで摺合せを行う。

・目標：ロ））クレームに真摯に対応する
・施策：a）クレームを理解する勉強会を行う、b）品質管理を理解する勉強会を行う、c）クレームから当社の弱点を分析し共有化する、d）大部屋で改善の取り組みを行う、e）活動を顧客に伝えて反応を見る

図8　目標（方針）管理の例

　それはコンサルタント会社、アイテムツーワン代表取締役の福原證氏が提唱なさっている方針管理法である。福原氏は、かつて所属していたトヨタ車体株式会社で品質保証体制を築き上げた実績をお持ちだという。

　福原氏の管理法の基本は、トップ方針の目標値を達成すること（全体最適化）にある。全体を最適化するために、部分（プロセス）の問題、見えにくいドロドロした問題にも確実に手を加えて解決していくというものである。

　次に、提唱の『方針管理』ポイントを簡単に示しておく。

【アイテムツーワンの『方針管理』のポイント】

① 品質保証規則（社内法律）

　　QMS（品質保証体系図）を明確化し、それぞれのプロセスは何を保証（保証事項、責任者、保証業務、担当部門）するのかがわかるようにする。

② 方針を有機的・一貫性を持たせて展開

プロセスの責任部門同士が有機的であり、かつインからアウト（事業幹線）にQCDE（品質・コスト・納期・人）一貫性を持たせる（方針展開を連結で行うこと＝QCDEを総合的に管理する）。

③ 機能間の調整機能

　QCDEを保証するために事業企画と品質管理の責任者が連携して調整機能を担う。活動時に問題が生じれば、その本質を見定め、プロセスが動くように調整するのが主たる仕事である（ドロドロした問題にも目配りし、水面下で調整して行く。この「表に現れにくい仕事」が、「全体の成果」を支えている。そのためにやることは、プロセス間のチェック（監査）だという）。

④ トップマネジメント層がすること

　期中で起こる問題をマネジメントする。目標を実現するために資源（人・モノ・金）の投資を決断する（うまくいっていることは報告させない。全体の目標達成が難しい案件のみにトップマネジメント力を投下する）。

　本章での紹介はこの程度にとどめておく。是非とも、アイテムツーワンの福原證氏のお話を聞いてほしい。恐らく、日々困り果てている案件のヒントをいただけると思う。

▎8.「企画」、「品質管理」の本来の機能

　前項の解説で「企画」と「品質管理」本来の役割がわかったと思うが、もう少し説明しておく。

　「企画」は戦略の企てが役割である。人・モノ・金という投資の効率を高めるために機能間の調整をする。「品質管理」は現状維持（仕事の質を保つ）が役割である。目標を達成させるために、社内ルールに基づいて計画する。

　戦略を立てたなら、その活動を推進させる役割も「企画」と「品質管理」の重要な職務である。

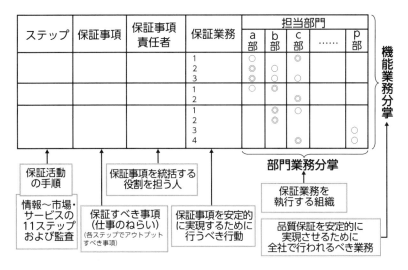

図9　品質保証規則

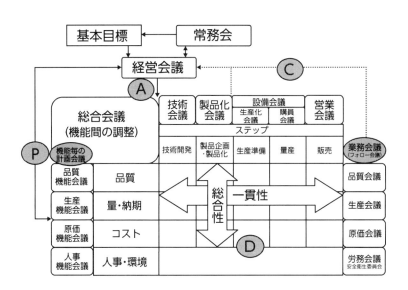

図10　方針管理のしくみ

皆さんが計画した方針の推進過程では、計画段階ではわかりにくい問題が表面化することが多い。例えば、「無理して予算を削減したツケ」など、公に言えない問題が原因でテーマ推進が滞ることが多い。その結果、一つのテーマの遅延が会社の重要な戦略テーマを遅らせることがある。

　福原氏提唱の管理法では、「企画」と「品質管理」が進捗を確認しながら推進に支障をきたす困りごとを解決する役割を担うのである。時には、問題を抱えているテーマ責任者が恥ずかしい思いをせぬように水面下で対処していく。組織で働く人々にはこういった配慮が必要だということである。

　そうしても経営問題が残るので、その困りごとを定期的にトップマネジメントの経営会議に報告し、トップが対応を決断するのである。計画どおりの進捗であれば、報告する必要はない。そうすることで、トップマネジメントが効率よく機能するのである。

　まさに「企画」と「品質管理」の本来の機能はこれである。多くの企業で「品質管理」機能が脇役に追いやられているのを見るが、それは大間違いである。正しくは、仕事の質を管理して経営を支えるのが役目である。

▌9.「目標管理」をすると何が変わるか

　展開できている場合は、トップからボトムで一貫性が生まれたことを意味し、期中でテーマがぶれることがなくなる。それによって組織には以下のメリットが生じる。

　① 機能間連携を取らねば進まないので、自然と連携が進む。
　② それぞれの層が、安心して思いっきり取り組み職務を全うできる。
　③ トップマネジメント層、管理職層がやらなければならないことがわかってくる。
　④ 資源がたりなければ、トップが決断すればよい。ボトム層が

　悩む必要はない。
⑤　トップマネジメントしているので、不用意にテーマを変える
　ことができない。
⑥　トップ層はゆとりができ、高度な経営に専念できる。
⑦　企業内に人材が育ち、最善の解決策を見つけ出しやすくなる。
⑧　組織風土、企業風土が改善される。働き方が変わり、社員は
　家族サービスや自治会の活動ができる。

10.「目標管理」は経営の究極

　私も含め、発想者の想いを理解せずに手法をつまみ食いしてきた人が多いと思う。結果的に、経営に有効な道具にはなり得ず「採用を止める」とか、止められずに「形骸化したまま用いている」のが実情だと思う。

　読者が勤めている企業が本当に組織をまとめたいということであれば、マニュアルを受け売りするのではなく、長期視点に立ち、自社で研究し仮説検証しながら作り上げていくのがよいだろう。これは、すべての経営道具についてもいえることである。

　「目標管理」は企業文化になりうるので、長い目で「考え方」と「仕組み」を作りこむことをお勧めする。「目標管理」こそ、経営の究極である。

創業精神の継承

創業者が創業時におこなったことは、人を雇用し、組織を作り、技術を作り、機械を作り、経営の目的、経営理念の明確化など枚挙に暇がない。さらに長い時間をかけて「信用を作り」「それぞれをなし得る人材」を作ってきた。こうして経営基盤を作り上げたのである。

創業時に関わってきた人たちは、それぞれの意義を絆で理解していたと思う。一人ひとり自ら面接して雇用し、信頼関係を作り上げてきた仲間を簡単に切れるわけがない。

私もそうであるが、大半の人たちは企業の経営基盤ができた後に入社しているので、経営基盤の本質がわからないでいる。それでも先人が築いた「信用」と「技術」がビジネスを継続させてくれる。その恩恵もわかりにくいのである。

先進的な企業は、創業の精神を継承すべきことと位置づけ、真剣に取り組んでいる。そうでない企業はこの理念の趣旨がわからないようだ、そしてタテとヨコの連携が悪く苦しんでいる。

さて、創業体験のない人たちはどうすべきか？

本書を整理する中で明確化した一つは、品質管理の考案者ジュラン博士が提唱した「連携」である。もう一つは、ジュラン博士と品質運動を起こした経営学者ドラッカーが提唱する「目標管理」である。

面倒そうに見える「目標管理」だが、きちっとプロセスを踏んでいけば、優れモノである。

2
「人権尊重」が基本

1．信頼関係を作り出すもの

　本書を執筆する過程で浮かび上がってきたのは、人間をつなぎ合わせるものは「信頼関係」であるということだ。さらに掘り下げると、その関係を作り出すものは「人権の尊重」だといえる。

　この考えに至った時、「私は、これまで一人ひとりの人権を尊重してきたであろうか」と振り替えざるを得なくなり、もっと身近な家庭の問題が見えてきた。昨今の日本では、企業で必死に経済活動をしてきた結果、「家庭内離婚」や「定年離婚」が待ち受けているという現実がある。誰もが望んでいたことではない。仕事であれ家庭であれ、問題の根本にあるのは「人権の尊重」意識の欠如だと確信した。

　最後にあたるこの章では、「家庭内離婚や定年離婚」の事例を基に「人権の尊重」を考えていく。

2．人権の尊重について

　まず、人権について触れておく。「基本的人権の尊重」は、日本国憲法第11条で、「国民は、全ての基本的人権の享受を妨げられない。この憲法が国民に保障する基本的人権は、侵すことのできない永久の権利として、現在および将来の国民に与えられる」と定義されている。

　また、人権の概念は、次に示される。
- 固有性：法律で与えられたものではなく、人間であることにより　　　　当然に有する権利であることを意味する。
- 不可侵性：原則として公権力によって侵されない権利であること　　　　を意味する。

- 普遍性：人種・性・身分などの区分に関係なく、人間であるというただそれだけで、当然にすべて享受できる権利であることを意味する。

　こういった考え方は、1789年のフランス人権宣言の考え方が広まった結果であり、日本においては第二次世界大戦後になってようやく普及したといわれている。
　近年において、有能と思われる人材を多く抱えている企業においても「セクハラ」や「パワハラ」が跡を絶たないのは、人権の本質がわかっていないからであろう。

▌3．夫婦関係の成り立ち

　源流管理に基づいた振り返りをして初めて、我々が日々やっていることの矛盾に気づかされた。それは、あまりにも当たり前すぎて、日常的に「人権の尊重」と向き合う機会が少なすぎることで起こっているように思う。本来、経営理念は人々の幸せを目指しているので、経営の究極は、一人ひとりの存在を認める人権に帰着するのではないかと考える。
　「人権の尊重」に重きが置かれてこなかったのは、仕事中心の生活に陥っていたことが大きいと考えている。次いで、日本古来のムラ社会（男尊女卑風土、男性と女性の役割分担）や市場原理主義（経済が心を豊かにする、という考え方）なども無視できないと振り返っている。余りにもモノ中心の現在、いま一度、人間の原点である「基本的人権の尊重」と向き合う必要がある。
　ここで、認識を合わせるために、身近な問題である「家庭内離婚」や「定年離婚」を引き起こす要因について触れてみたい。
　私は、家内にどのように接してきただろうか、冷静に振り返ってみた。加えて、世の夫婦はどうなのか、近隣の人たちの夫婦関係や専門誌（婦人公論 9/22 2014 No1409）を参考に整理し、次に私見

としてまとめた。

　夫：企業などの組織の中で、ヒエラルキーの呪縛を受けながら、
　　　とにかく一生懸命がんばる。明けても暮れてもがんばる。帰宅
　　　した時はへとへとなので語り合う余裕はない。そんなことを長
　　　年繰り返していく。そのうち昇進すると、権限に支えられる文
　　　化になじんでいき、上から目線に変わっていく。だんだん家庭
　　　でも社会でも上から目線になる。そしてたいしたことができな
　　　い人間になるが、頑固さだけは歳と共に増す。
　妻：若いころは子育てで精一杯である。慣れない出来事にも自ら
　　　対応せざるを得ない。助けてほしい時に夫は何もしてくれない。
　　　子供が 18 歳になるまでは、子供中心で何かと忙しい。誰から
　　　も存在を認められず、長い年月をかけて、家という孤独の世界
　　　で生きる術を身につけていく。ついには、一国一城の主となる。
　　　そして、子供が親離れをし始めるころには更年期に入り、何か
　　　と障害がともなう。時には、メンタル面に支障をきたすことも
　　　ある。一方で、近隣の夫人たちとともに生きる術は心得ている。

　そもそも夫婦は、長年別の道を歩んでおり、それぞれ知らぬ間に
自分にとって都合のよい世界を作っている。次に特徴を示す。
　① 肩書と「上から目線」に重きを置く夫
　② 一国一城の主である妻（狭い世界だが、確かな仲間がいる）
　③ 頑固な夫、情緒不安定な妻
　④ 何もしないのにいろいろ言う夫（かき混ぜる）
　⑤ 家事（食事の世話）に疲れた妻
　⑥ 長年、互いの人権を尊重しないできた者同士
　お互いに信頼関係がないのでうまくいくはずがない。見方を変え
ると、それぞれが厳しい環境で生き抜いてきた結果であり、どちら
が良いとか悪いとかいうものではなく、それぞれの環境に合わせて

動物の本能が起こした現象の一つだと考えられる。つまり、ストレスを避けるための防衛本能が働いた結果だといえる。だが冷静に見ると、相手の人権を侵害した結果だともいえる。

▌4．どうしたらよいのか

　自分の願望を押しつける前に、相手を一人の人間として認め、かつ生きる上での願望を満たしてあげることが大事なのではないかと考えている。これは大層なことではない。例えば、以下のようなことをやればよい。

① カチンと来たときに、枝葉をつけて言い返すのではなく、相手が言わんとしていることを噛み砕いてみることだ。案外、言われていることはさほど気分を害するような意味を含んでいない。気分を害するのは、相手の反応が自分の期待したものと異なるからである。あらかじめ答えを用意して接するから、そのようになる。トラブルの発端は、ほとんどが些細なことが多く、人に言えないほど恥ずかしいことだ。

② 会話は非常に大事である。目を見て話をすること、話を聞き取ること、話を中途半端にして終わらせないこと、などを意識すべきである。相手の存在を認めている証が会話だと思う。

③ 互いを知ること。そのために、できるだけ多く本音で話し合うこと（互いに嫌だと思っていることを伝え合うこと）。これは、相手を知り、人権を尊重するための要件である。

④ 相手の好みに合わせていく。この行為が大きな好転をもたらすものである。相手が嫌がることを強要するのではなく、まず自分が相手に適応する。相手に合わせたからといって、何でも合わせよとは要求してこないもの。合わせてあげれば、相手も合わせてくるようになる。

　そのためには、普段から心のゆとりが必要だと思う。つまり、衝

突したときに自分を抑え、冷静に判断できる力である。実に単純な
ことであるが、煩悩との戦いなので、日頃こういった訓練ができて
いないとうまくいかないようである。

▌5．さいごに

　当社で源流管理思想について掘り下げ、品質管理の極意をまとめ
ていく中で、行き着いたところが人権であった。多様なメンタリティ
を持った人々の集まりなので、成り行きでは絶対にうまくいかない。
これまでの夫婦関係を振り返るとそのことが、本当にわかった。

　ずいぶん遠回りしたが、この歳になってわかっただけでも良かっ
たと本当に思っている。引き続き、その時々の出来事を振り返りな
がら生きていく所存である。

第 6 章

品質事故の振り返り

1

品質事故でつかんだ「品質管理」の課題

1. はじめに

　本章は、私が体験した品質事故について、事故当時の状況（「大事故を起こしたとき」「対応したとき」「改善したとき」）及びその後の品質管理活動（「品質管理責任者のとき」「顧問のとき」「企業を指導したとき」）を経て振り返えりした「問題の本質」をお伝えする。何とか「経営のための品質管理」の課題ばらしができたと考える。

　これらの視点を基に仮説を立て、検証を行った結果が本書である。

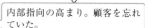

トラブル当時の様子	後の振り返り（課題）

1．大事故を起こしたとき

① **大事故を起こして、社内で見えたこと（I）**
・経営の目的のこと：見失っていたように思う
・組織風土：行け行けどんどんで、結果が出ればOK
・技術の脆弱さ：非科学的要素を持ち込んでいた
・仕事の仕組み：社内法律が曖昧。答えを早く出せる人が評価されていた。

内部指向の高まり。顧客を忘れていた。

非科学的なやり方でも結果オーライ。科学的管理が阻害されていく文化が形成。

ますます近視眼に陥る。非科学的に近道を選ぶ。そして遠回りする。

② **大事故を起こして、社外で見えたこと**
・部下達が製品保証1年だとして譲らなかった。
・顧客に経営理念を教わった。
　＊顧客の怒りを受けて訪問した時、会議室の机の上には当社の社是がA4に印刷され1cm積み上げられていた。
・信用の威力
・トラブル時の本当の協力者は顧客であった

経営理念が共有化されていなかった。

先人が築いた信用の大きさを本当に理解した。売り手と買い手の互恵関係も少しわかった。

真剣に考えてくれたのは顧客であった。

2．事故を振り返り、改善に挑戦したとき

③ **改善活動で見えたこと**
・現場の技術・風土・仕組みは、容易に改善が進んだ。
・会社経営基盤の改善は、なかなか進まない。

現場は方針を受け迅速に改善した。上位職で権限のある人には本質がわからないので、動けないでいる。

トラブル当時の様子	後の振り返り（課題）

④　改善について、社内で見えたこと（Ⅱ）
・経営執行会議でトップマネジメント層に改善を促すが変わらない。会社がまったく変わらない。

しかし、後日、組織風土改善活動が起こった。この現象が、本書の主題でもある。

3．事故を振り返り、改善に挑戦したとき

⑤　改善について、社内で見えたこと（Ⅲ）
・伝承事と考え、社内で何度も説明してきた。モノづくり現場の人には伝わるが、管理職〜トップマネジメント層にはまったく伝わらない。

水平展開の難しさを本当に理解した場面である。

その後の品質改善活動の様子

4．その後、品質管理責任者を担ったとき

⑥　全社品質保証責任者を担当してわかったこと
・社内の他部門では大事故と類似のことが起こっている。問題の構造は同じである。

すべての問題の根源は同じである。

・役員をした時、上位職の問題が鮮明化した。

ヒエラルキー組織構造のタテの問題が鮮明化した。

5．ラインから外れ、顧問（指導的立場）の時

⑦　工場の大トラブルでわかったこと
・損益改善のために、権限のない者が権限以上の権力を行使し、経営をさらに歪めていくことがある。

経営的には、先の大トラブルと同じ問題である。

・プロダクトライフサイクル後期品が大トラブルを起こしたが、大振り返りをして是正したメンバーは人間が変わったように見える。
・その時、常に冷静なのがボトム層の人達である。トップがマネジメントを修正すれば、是正対応は早い。普段このように経営すればうまく行くのだがなかなかできない。

⑧　** 年 ** 月某工場の品質管理課長が突然「品質管理は何をするのですか？」と問いかけてきたことがきっかけで「先人が発想した品質管理」を調べた**
・初めて「品質管理」のヒストリーを紐解いた。そして、品質管理の創始者 J.M ジュランの存在を知った。

二人だけの時、本音を語ってくれた。それほど目的が不明確な機能であったということである。良く教えてくれたと感謝している。

・そして、源流管理をまとめだした。さらに、企業生活 43 年間を振り返りして、「〜源流管理思想に基づく〜経営のための品質管理」をまとめるうちに 43 年間の未熟さを知った。

ジュランを知り、産業界の経営がおかしいと気付いた。

その後の品質改善活動の様子   後の振り返り（課題）

6．いろいろな企業を指導したとき

⑨　**約4年間企業を指導してわかったこと**
・「〜源流管理思想に基づく〜経営のための品質管理」が検証された。
・多くの企業の経営が非科学的であった。
・モノ金が主流であり、人は「取っ換え、引っ換え主義」であること。
・「言っていることとやっていることに矛盾がある」のは、市場経済社会（モノとかね中心）色が強いからである。
・人中心で科学的管理すれば「持続可能な成長」が容易であること。何事も物事の本質を究めるとやり方は決まるようだ。科学的管理が一番の近道である。

日本に存在する企業は、大半が潰れてもおかしくない経営である。生き残っている企業は「労働者がちゃんとやっている」こと、「何がしかのコアコンピタンスがある」からである。ちゃんとやればもっと儲かるのだが…。

120

2
私の「源流管理」

　今も昔と変わらず官民学が起こす社会問題の大半は再発である。問題を起こす本質に踏み込めずに着地させるからである。また、その真因の多くは、人間の心を乱す要素にあるが、その真因を押えていないからだと考えている。

　例えば、仕事に熱中して馬車馬のように振る舞い始めると「今を生きることに集中」し、ものごとの本質から外れてしまうことがよくある。そして、「自分の人生の目的」や「組織の目的」を忘れてしまうのである。この時、物の見方は極めて近視眼的になり、時間がかかる原理・原則を飛ばし、非科学的行為をしてしまう。

　一見幼稚に見える行為であるが、大半の社会問題は職責に関係なくこのようにして起こるようだ。人間の性が引き起こすからである。

　こういった問題をどのように押さえるべきか、「～源流管理思想に基づく～経営のための品質管理」を追求し、得られた"私の源流管理"を次に示す。

1．迷った時のより所をもつ

　組織で生きていると、いろんな問題に遭遇する。組織人は心がぶれないように「何のために何をすべきか」という組織の原点に立ち返る習慣を持つべきである。

　組織の原点とは、組織活動の目的である経営理念のことである。

　原点は、雑念が台頭し迷った時に回帰するところであり、行動する時の頼りとするところである。不幸にも行動を誤れば原点回帰して正せばよい。こういった繰り返しをしながら組織を誘導すると、長い目で大きく間違うことはないと考える。

例えば、ドイツ BOSCH 社の経営理念は「信用を失う位なら、む
しろお金を失った方が良い」というものである。行動指針が明確で
ある。私が勤務してきた村田製作所は「科学的管理をして、独自の
製品を作り、文化の発展と人々の幸せに寄与する」が柱である。心
が揺れ動いた時に原点回帰しやすい理念である。

　もし、経営理念が不明確であるならば、時間をかけて組織メンバー
が理解でき賛同できるものに見直すべきである。

　また、日常的には先輩と OJT（on the job training）で人生観を
議論する中で働く場の「経営理念」や「行動指針」について理解を
深めていくのが良いであろう。

▌2．時間軸の"長い物差し"をもつ

　いかなるトラブルに関しても、次のような解釈ができることがわ
かった。

　　「組織が起こすあらゆるトラブルは、すべて組織文化（先人と
　ともに形成してきた物心両面の成果）が影響し、箍（たが）が緩んでいっ
　た結果によって引き起こされるものであり、トラブルの当事者個
　人の問題に帰することはない」

　つまり、社会問題化した事案は、組織文化が長い時間の中で蝕（むしば）ま
れた結果として起こるのである。したがって、事件当時に携わって
いた個人の責任にして手打ちしてはいけない。個人の責任に帰着さ
せると、問題の本質が封印されるので、解決から離れていき、いず
れ必ず再発するからである。

　また、一見張本人と扱われる人は、実は被害者というべきかもし
れない。あるいは、職責が不適であったのかもしれない。

　一般に決まったように行われる当事者の責任論は、近視眼的にこ
とを収める手段であり、かつてのムラ社会の掟のように感じられる。

現代社会において、この非科学的な処理法はいかがなものであろうか。また、時として人権を侵害するという最悪の事態を招いてしまうので、その点も留意すべきである。

　ものごとに一喜一憂するとエネルギーが続かないので、我々が用いる「時間軸の物差し」を、意識的に長くする必要がありそうだ。

経営（仕事）を科学的に行うライメージ図

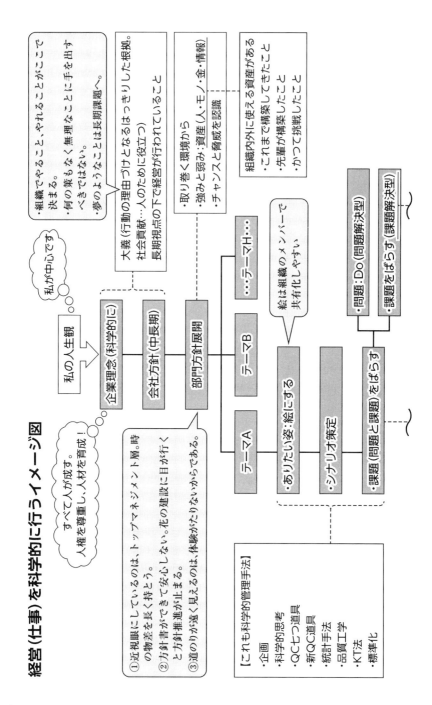

124

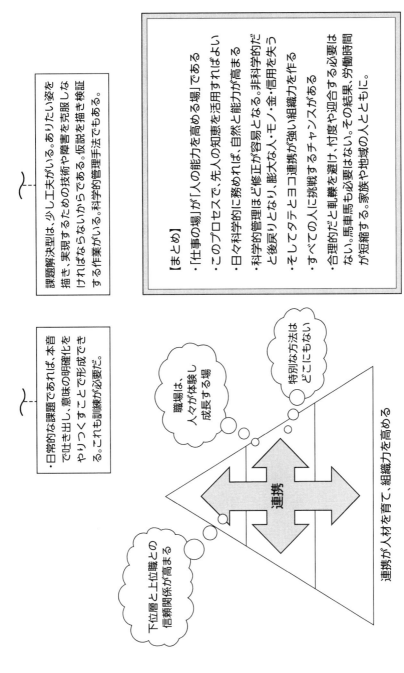

課題解決型は、少し工夫がいる。ありたい姿を描き、実現するための障害や障害を克服しなければならないからである。仮説を描き検証する作業がいる。科学的管理手法でもある。

・日常的な課題であれば、本音では吐き出し、意味の明確化をやりつくすことで形成できる。これも訓練が必要だ。

[まとめ]

・[仕事の場]が[人の能力を高める場]である

・このプロセスで、先人の知恵を活用すればよい

・日々科学的に務めれば、自然と能力が高まる

・科学的管理ほど修正が容易となる。非科学的だと後戻りとなり、膨大なヒト・モノ・金・信用を失う

・そしてタテとヨコ連携が強い組織力を作る

・すべての人に挑戦するチャンスがある

・合理的だと軋轢を避け、忖度や迎合する必要はない。馬車馬も必要はない。その結果、労働時間が短縮する。家族や地域の人とともに。

職場は、人々が体験し成長する場

特別な方法はどこにもない

下位層と上位職との信頼関係が高まる

連携

連携が人材を育て、組織力を高める

125

参考文献

第1章
J.M.ジュラン著、今泉益正他訳『品質管理ハンドブック』財団法人日本科学技術連盟、1945年
ジョン・バットマン著、石谷尚子訳『ジュラン　世界を舞台に品質を語り続けた男（JURAN A LIFETIME of Influence）』凸版印刷、1980年
フレデリック・W・テーラー著、有賀裕子訳『新訳　科学的管理法　マネジメントの原点』ダイヤモンド社、2013年

第2章
畑村陽太郎『失敗学のすすめ』講談社文庫、2005年
ローレンス・J・ピーター、レイモンド・ハル著、渡辺伸也訳『ピーターの法則』ダイヤモンド社、2003年

第4章
伊丹敬之＋日本能率協会コンサルティング編著『場のマネジメント』東洋経済新報社、2010年
柴田昌治『なんとか会社を変えてやろう』日経ビジネス文庫、2004年
鈴木博毅『「超」入門失敗の本質：日本軍と現代日本に共通する23の組織的ジレンマ』ダイヤモンド社、2012年
戸部良一ほか『失敗の本質　日本軍の組織論的研究』中公文庫、1991年

第5章
金津健治『目標管理の手引き〈第2版〉』日本経済新聞出版社、2008年
『婦人公論　2014年9月22日号』中央公論新社、2014年

著者略歴

山岡　修（やまおか・おさむ）

　1948年生まれ
　1970年　　村田製作所に入社
　2004年　　経営の品質管理を研究
　2009年　　品質保証統括執行役員
　2013年　　定年退職
　2014年〜　企業にて「経営のための品質管理」指導
　2019年　　「経営のための品質管理」がまとまり、伝承
　　　　　　を目的に本書制作

経営のための品質管理心得帳

2020年11月25日　第1版第1刷発行

著　者　山岡　修
発行者　岩根順子
発　行　サンライズ出版
　　　　〒522-0004 滋賀県彦根市鳥居本町655-1
　　　　tel 0749-22-0627　fax 0749-23-7720
印刷・製本　サンライズ出版